ЧИТАТЬ[МОДНО]

ЭЛЬФРИДА ЕЛИНЕК

МЫ ПЕСТРЫЕ БАБОЧКИ, ДЕТКА!

Роман

САНКТ-ПЕТЕРБУРГ

издательство
амфора

2007

УДК 82/89
ББК 84(4А)
Е 51

ELFRIEDE JELINEK
Wir sind Lockvögel Baby!

Перевела с немецкого И. С. Алексеева

*Издательство выражает благодарность Rowohlt Verlag
и литературному агентству Andrew Nurnberg
за содействие в приобретении прав*

*Защиту интеллектуальной собственности и прав
издательской группы «Амфора»
осуществляет юридическая компания
«Усков и Партнеры»*

Елинек, Э.

Е 51   Мы пестрые бабочки, детка! : роман / Эльфрида Елинек ; [пер. с нем. И. Алексеевой]. — СПб. :
Амфора. ТИД Амфора, 2007. — 299 с.

ISBN 978-5-367-00577-6 (рус.)
ISBN 3-499-12341-X (нем.)

Роман «Мы пестрые бабочки, детка!» (1970) — первенец
Эльфриды Елинек. Именно с ним она вошла в австрий-
скую, а затем и в мировую литературу. Русскоязычному
читателю нобелевский лауреат Э. Елинек уже знакома по
романам «Пианистка», «Алчность», «Дети мертвых» и другим.

УДК 82/89
ББК 84(4А)

ISBN 978-5-367-00577-6 (рус.)
ISBN 3-499-12341-X (нем.)

ОТ ПЕРЕВОДЧИКА

Этот первый, написанный в 1970 году роман Эльфриды Елинек являет читателю, образно говоря, ту кашу, которая ползла, да, собственно, и ползет на человека из общей медийной кастрюли — радио и телевидения. Книга и построена на трансформации реалий поп-культуры 60-х годов. Здесь все перемешано: голливудские сериалы и музыкальные идолы, герои Диснея и криминальная хроника, модные темы из сферы науки и телевизионная реклама, персонажи комиксов и политические деятели. Но доминанты всё же намечены: это четверка битлз, Пасхальный Заяц и White Giant — Белый Гигант — кумир целого поколения американцев.

И если Пасхальный Заяц, на протяжении романа меняющий свои ипостаси, — это традиционный персонаж народной культуры, зайчик-побегайчик, приносящий австрийцам крашеные яйца на Пасху, образ, использованный уже и другими крупными писателями XX века, в частности Робертом Музилем, — то остальные герои, за исключением, пожалуй, фольклорного персонажа Касперля, целиком и полностью достояние масскультуры 1960—70-х годов. Причем следует отметить, что все имена и названия соответствуют действительности, тут Елинек документально точна. Что означает, к примеру, «Бонанза», несколько раз встречающаяся в книге?

Это название популярного американского сериала, снимавшегося на протяжении 1959—1973 годов, и долгое время вся Австрия глаз не отрывала от телеэкранов, следя за перипетиями семейства Картрайт. «Пушки острова Наварон» — это знаменитый голливудский приключенческий фильм 1960 года с Грегори Пеком и Энтони Куином. «Dolly Sisters» — суперпопулярная джазовая группа 20-х годов, очаровательные двойняшки Дженни и Роззи... Что касается Брайана Джонса, то имя этого скандально знаменитого гитариста «Rolling Stones» помнят не только поклонники рок-музыки.

Елинек почти с маниакальной настойчивостью возвращается к загадочному эпизоду его гибели (в 1969 году в возрасте 27 лет Брайан Джонс утонул в собственном бассейне) и практически дословно цитирует слова судьи, обращенные к Брайану, когда в 1968 году его судили за хранение марихуаны.

Дотошный читатель, которому непременно нужно знать, кто эти «пестрые бабочки», что манили публику, завороженную массмедиа, сегодня легко может пополнить свои знания о встречающихся реалиях с помощью Интернета.

В тексте романа нерасчлененность, «кашеобразность» поступающей информации подчеркивается, среди прочего, и пунктуацией, вернее — ее отсутствием. Мы решили сохранить эту особенность в переводе, вполне сознавая, что в русской литературной традиции этот прием на сегодняшний день мало популярен. Нет у Елинек и прописных букв — ни в начале предложений, ни в существительных (напомним, что в немецком языке все существительные пишутся с заглавной буквы). Немецкоязычный читатель уже сталкивался с таким оформлением текста у других авторов, в частности в поэзии, и воспринимает отсутствие заглавных букв как расхожую примету авангарда, в русской же литературе оно встречается значительно реже. Учитывая разницу читательского восприятия, мы выбрали при переводе компромиссный путь, все-таки обозначив личные имена заглавными буквами.

Итак, после погружения в пеструю пучину этого текста, напичканного знаменитыми именами, переводчик желает читателю успешного вынырнуть, избавившись от гипноза массмедиа. Грозный символ всплывшего на поверхность тела Брайана Джонса демонстрирует страшную альтернативу: навязываемые нам кумиры, эти пестрые бабочки-приманки, могут привести наше расслоившееся сознание к печальному финалу.

И. Алексеева

ИНСТРУКЦИЯ ДЛЯ ПОТРЕБИТЕЛЯ

Вам надлежит немедленно изменить эту книгу по своему вкусу. Замените все заголовки на свои. Возьмитесь за нее как следует & поддайтесь соблазну ПЕРЕМЕН за рамками дозволенного. Я ни одной преграды здесь не создала которая вам не по зубам. Я вас достану я вам покажу & покажу никому не ведомые пустоты у вас в организме прямо-таки созданные для того чтобы их заново запрограммировать.

Вам вообще ни к чему все это читать если вы думаете что не способны ни на какое встречное насилие. Если же вы как раз и трудитесь над тем чтобы подорвать разрушить весь этот огульный официальный контроль & его органы тогда смысла нет & уймите свой пыл и не тратьте время на чтение этой книги.

эльфрида елинек
очарование мундира &
убывание очарования

эльфрида елинек
подготовительные
упражнения

эльфрида елинек
заниматься любовью
под сенью охраняемых елей

эльфрида елинек
это что война?

эльфрида елинек
проводы
сопровождающих лиц

эльфрида елинек
свое гнездо

Славным воинам
Австрийской федеральной армии
посвящается

RUN THAT UP YOUR PENIS & SEE HOW IT COMES!
(Тули Купферберг)
(Засунь себе это в пенис & проследи за эффектом!)

ЧТО ПРОИЗОШЛО ДО ЭТОГО МОМЕНТА:

Тогда Отто оборачивается к своим спутникам. Глаза у него сверкают плечи распрямляются. И вот он насмешливо произносит: пора четко сказать что надо делать. Ствол полицейского карабина молотит его по хребту свисая с плеча вниз и неровно держась на рябых опухолях его тела: ПОШЛИ ВОН!

Пестрые бабочки несмотря на скудное освещение хотят затеять новую общую забаву при поддержке Робина и его дивного натурального голоса. Единственный кому это не совсем по вкусу Белый Гигант. Он весь в возмущении оттого что сегодня придется обойтись без привычного порядка и покоя а спать ложиться без любимой фланелевой курточки и без бигудей. И как только молодежь может проявлять такую беззаботность насчет возвращения домой говорит он качая головой.

Хельмут падает как подкошенный в тень елей. Как пыльный мешок в лыжных штанах и анораке для сноубордистов. Снежная крошка больно бьет его по лицу колет сжатые кулаки. Там наверху его мучитель-нацист беззвучно отрывается от края трамплина пролетает над ним 300 метров и приземляется на твоих грудях детка на этих боевых газовых баллонах. Вскоре кто-то бежит к окну посмотреть не зажегся ли свет или же кто-то другой бросается к выходу утверждая что в дверь постучали.

Микки & Минни семенят прочь и внезапно оказываются в бурлящей гуще уличного движения и уже не понимают вперед им двигаться или назад. Ладно пусть будет вперед. Жалко Робин что твой день рождения был столь скромным говорит Бэтмен проносясь к постели напалм мимо этого паразита. Робин еще раз приглаживает усы и прощаясь на ночь благодарит за всё. Видимо как раз это и побуждает Бэтмена протянуть свою грубую юношескую руку к посыпанному сахаром концу Робина и засунуть его себе в рот. Именно в этот критический момент Супермен отворачивается от окна и смотрит в глубь комнаты. Ровно на секунду он замирает оторопев а потом подлетает к охальнику и похоже не без удовольствия вырывает конец у него из зубов. Пасхальный Заяц молодой обитатель мегаполиса не решается забегать слишком далеко. Луси Наггет сидит в ванне неустанно поливая водой свое раненое христианское сердце и среди этого зимнего ландшафта вода плещет на улице за окном. Я не знала извиняющимся тоном говорит она что у тебя такая грязная задница легавый. Ели скользят прочь от Хельмута вылезая у него из штанин. Он то плачет то смеется. Зрители еще не подозревают о несчастье на старте и на финише. Они скучают когда их топчут им больно.

1. ФУНКЦИЯ ОТТО

Итак функция Отто ведь все что он показывал до сих пор было притворством а теперь его истинная натура во всей своей красе прорвалась наружу. Какое субтильное существо удивленно говорит служанка Ирма когда он выползает у нее из живота. Как она могла ошибиться исторгая из себя столь необдуманное высказывание. Да здравствует Отто эти слова через некоторое время можно прочитать на стенах всех сортиров круто аж мочевина от унитазов отскакивает такой вот везунчик с юга Германии из тех что ржут когда слышат национальный гимн который кто-то там сварганил и весь мир должен об этом знать. Отто помеха во владениях своего ненастоящего отца как жирно осевший за спиной страх ползет он через пустырь и обрушивается голой задницей на потайную будку с сосисками так что народ с криками бросается врассыпную & Джон Джордж Пол Ринго пошлая подтанцовка этой мальчишеской выходки чуть было не отреклись от него. Превратить этот хор мальчиков в безвольные орудия пожалуй слишком жестоко. Люди начинают скучать они обращаются к древнему как мир площадному аттракциону: Отто со всеми своими прелестями пониже живота включая ороситель & словно он еще недостаточно натворил всяких пакостей схватил какого-то барана поперек живота & побрел вброд по мутной жидкой грязи которая ему великану едва до колен доставала. Такие вещи примиряют Джон Пол Джордж Ринго непринужденно протягивают ему руки которые он хватает пожимает набрасывает себе на плечи и с такой вот пятикратной кровлей поднимается в направлении Санкт-Пёльтена вместе с темной тучей дроздов-рябинников там привычное место их гнездовий заливные луга & Гаага. Такой оборот дела поразителен и рядом с ним возникает запыхавшаяся от беготни доярка перетекая и благоухая. Отпустите меня кричит тем временем Отто но тело отказывается ему подчиняться. Вокруг него сгущается тьма сознание оставляет его и исчезает. Пол пихнул каждого по очереди перекувырнулся несколько раз через голову чтобы снова избавиться от гнетущего чувства невесомости в нос ему ударил едкий дым и гнусный запах тлеющего сукна и горящей резины. I am the морж храбро подумал он и разбрызгивая пиво гася огонь обрушился прямо в неразбериху рук ног голов торсов & тел. Хотя Отто между прочим практикующий врач здесь он не придумал ничего лучше как затрубить. Он незамедлительно получил четыре звонкие оплеухи. Итак он опять сделал то что и было нужно поднял восстание.

В довершение всего они отправились прогуляться и своим сладкогласным согласным пением разбудили владельцев окрестных домишек которые радостно принялись подпевать. Да на Отто безусловно можно положиться как мы в этом еще не раз убедимся. Отто своим суперским трубным воем разложит на составляющие любое государственное устройство.

2. ОНА ЮНА

Она юна & хороша собой эта пятнадцатилетняя Элизабет Ф. и она ненавидит свою мать со всей силой на какую только способно ее чистое пока не разбуженное сердце потому что мать отняла у нее любимого мужчину. Не успевает машина как следует затормозить а Элизабет уже распахивает дверцу выскакивает пересекает разделительную полосу и мчится к перекрестку перебегает улицу на красный свет исчезает. Хельмут откидывается на спинку сиденья и закрывает лицо руками. Плечи у него вздрагивают. Элизабет прячется в маленьком цюрихском пансионе и не подозревает о том что молодой врач доктор Берндт Б. о котором вскоре заговорит весь мир потому что он будет ассистировать при первой немецкой трансплантации сердца обладатель белоснежной карман-гиа в отчаянии ее ищет. Перед ее взором вновь и вновь встает ужасная картина ее мать в домашнем костюме из шиншиллы который немного съезжает на сторону и обнажает холодную кожу матери на глазах у ее нагой мраморно-холодной Элизабет а Бен ее Бен в этот момент бритвой ее умершего отца вырезает круглое отверстие в шиншилловом меху между ног. Ты делаешь мне больно шепчет Труда в темноте спальни и он слышит мучительный свист ее дыхания. Да всё нормально отвечает он и поворачивается на другой бок. Кровать скрипит потом все затихает мертвая тишина. Элизабет мчится сквозь ночь. Перед нею вдруг возникает грязная вода канала а сзади за спиной совсем близко она слышит шаги обоих мужчин. Догадка молнией пронзает ее. Моя мать думает она со стыдом и мой Бен кулаки у него ого-го. Похотливый хозяин пансиона опять прерывает ее размышления. Его крик пронзает тишину дома резкий почти женский крик.

Эти немки для Руперта Штёсли просто бельмо на глазу особенно если они такие красивые как эта пятнадцатилетняя с бывалым лицом восьмидесятилетней и телом ребенка. Своим инстинктам господин Штёсли Пасхальный Заяц дает волю просверливая дырку в стриженой головке Элизабет и с помощью вытекающей оттуда жидкости очищая запыленные занавески и пожелтевшее мужское нижнее белье. Вы тоже придерживаетесь того мнения что свежее душистое белье служит процветанию семьи? Вам же наверняка приятно спать в свежезастланной постели? Позаботьтесь о том чтобы ваши родные и близкие хотя бы каждые три недели испытывали радость свежезастланной постели. Элизабет тоже сразу начинает чувствовать большое облегчение непристойные картинки мучают ее уже не так назойливо. Господин Штёсли тут же намеревается испытать на Элизабет свою стиральную машину с барабанной загрузкой.

3. АМШТЕТТЕН В ПОЛНОЧЬ

Амштеттен в полночь город призрачный. Не летом когда туристы широким потоком изливаются на бульвары и площади а осенью когда штормовые ветра гонят по земле листву когда аллеи содрогаются от их порывов. Тогда Амштеттен город призрачный. Молодому доктору сразу стало зябко когда он завидел 3 девчонок в джинсах застиранных джемперах русые волосы беспорядочными прядями падали на плечи спортивные сумки небрежно перекинуты через плечо. Юные беглянки из Германии а может из Англии или Скандинавии. Девчонки которые наверняка скажут меня тошнит от моих родителей вот в чем причина. На что мне сдалась скаковая лошадь. Но через неделю через месяц через год наступит великое раскаяние. Однако это не будет отчетом о путешествии. От Dolly Sisters на него пахнуло своеобразным запахом буйный степ казалось неизбежно согреет его окоченевшие ноги но он только окончательно ослабел и лишь с большим трудом смог противостоять длинноногой португалке которая подавала ему знаки из освещенной витрины турагенства. Сумка с драгоценными медицинскими инструментами и дьявольскими пилюлями прижата к груди вот в таком виде он и переступил порог. Он знал что ему надлежит делать как врачу & человеку. Это не должно быть путевыми заметками это отчет о косметической операции сделанной кособокой евразийке (см. т. 25 с. 368) которую намеревался использовать Кун-фу предводитель желтых ножей обычно занимающихся промышленным шпионажем в районе Амштеттена в пользу коммунистического Китая в качестве приманки для главного инженера. Это не противоречит кодексу профессиональной чести врача & пока во дворе строчат пулеметы & детина Кун-фу загоняет раскаленные бамбуковые щепки под ногти участникам дружеской встречи врач опытной бестрепетной рукой подносит свой знаменитый радиоактивный платиновый скальпель к неподвижному желтому лицу прекрасной евразийки. Слышен крик! Двое тучных желтокожих борцов-великанов волокут в ночную тьму сопротивляющуюся нежную белую добычу. Нож тут же замирает в руках врача. Дула всех револьверов как по команде направляются на него. Был ли это голос Элизабет его Элизабет или всего лишь голос одной из бесчисленных жертв которых тиран Кун-фу (дьявол в человеческом обличье) использует для своих целей? Он хочет знать точно. Поэтому он торопится толпа орущих червеобразных китайцев проползает мимо обгоняя его устремляясь мимо его стройного стерильного тела в белых одеждах прямо во тьму. Едва прооперированная визжит как свинья разве доктор имеет право оставить ее одну здесь в этой не вызывающей доверия местности? Нет. Совесть врача и спасителя начинает громко говорить в нем но там Элизабет и она может быть в опасности. Ее надо спасать. Неожиданный нечеловеческий рывок и мягкий ком летит в кусты окровавленный медицинский халат спешит прочь. Элизабет я сейчас держись. Об этой поспешности доктору Б. ибо речь здесь идет именно о нем еще предстоит горько пожалеть потому что именно в этот момент Кун-фу цедит сквозь позолоченные зубы а ну вперед! & догоните этого белого дьявола и доставьте его ко мне живым или мертвым лучше мертвым потому что мертвые держат язык за зубами дежурная машина срывается с места и визжа колесами выезжает через главные ворота прожектора заливают всю местность дневным светом. Хрипло лают ищейки. Он уже почти достиг укрытия когда тяжелая пуля громко хлопнув ударила его в плечо и он упал лицом вниз. Только судьбе он может быть благодарен за то что свалился в какую-то яму с болотной жижей и все остальные выстрелы опасного залпа с близкого расстояния угодили в грязь рядом с ним.

Но все это не похоже на рассказ о путешествии.

4. РАЗВЕ ЭТОТ ОТТО

Разве этот Отто не самый настоящий чужак судите сами. Пройтись по ровной ниве парика проползти по выпуклостям это на него похоже в этом он кое-что смыслит. Итак поскольку он был и у него имелись перья хвост & бедра как у настоящего короля всех дятлов то он брал серп и обрезал волосы у всего что порхает трепыхается развевается и т. п. и заставлял их лихо полоскаться на ветру. И разве в этот момент никто не вскакивал и не вырывал свои вихры у него из жилистого трудового кулака занесенного над головой чтобы бросить их и не прятал подальше? И речь тут идет не только о ее парике но и обо всей ее голове потому что Отто не очень-то церемонился с этой иллюзионисткой. Однако голова Отто зажата между выпуклостями его тела и при ближайшем бризе она вздымается вверх НАВСТРЕЧУ СОЛНЦУ. Вот так наконец-то и случилось кое-что в нашем прекрасном мамочкином романе и это не последний случай. Спросите Ангелику (94-20-463).

5. ГЕНИАЛЬНЫЙ ХИРУРГ И ДЕМОН

Гениальный хирург и демон. Кумир всех женщин и ужас вселенной. Роман, действие которого сосредоточено вокруг небывалой любви. Караван мулов неторопливо шагает своей дорогой через альпийский массив Гросглокнер прочь из Европы в Бразилию. Путешественники беззаботны и веселы мировые бродяги космополиты красивые женщины экипаж привычно выполняет свою работу. И все-таки происходит нечто чудовищное. Человек в мундире рядом с Дуней не попадается на этот обман нет. Он просто падает и проламывает паркетный пол потому что паркет сделан из толстого разрисованного картона. Ревя от ужаса полицейский обрушивается на шесть этажей вниз. Пролетев до подвала он ударяется о каменный пол и тут же умирает. Сейчас 15 часов 3 минуты. Другой провокатор звенит на столе. Только одна мысль удерживает графиню-эмигрантку Дуню от справедливой мести. Каждый кто видит ее в этом состоянии никогда не заподозрит в ней пустую безжизненную куклу каковой она и является ведь не надо забывать что гениальный врач ученый и гонщик Мануэль Кортес-Мария-и-Мендоса поместил ее в качестве мумии в свой мавзолей оборудованный кондиционером законсервировав ее для себя лично. А тем временем он завладевает волшебной пилюлей способной уничтожить человечество и пересаживает лицо Дуни юной немецкой медсестре Марии. Всем своим обликом демонстрируя невозмутимость по отношению к этим ужасам потенциальный преступник скачет на своем драгоценном белом жеребце по кличке Маэстозо Аустриа по направлению к городским воротам Бургтор. Шесть часов утра. На зубцах башен еще висит ночь. Черносерыми пятнами лежит туман на лугах и лесах горного края. Чингисхан зябнет кутаясь в плащ сотканный из лобковых волос самой красивой девушки его гарема. Перед литыми чугунными воротами висят вниз головой два любимых раба удерживая в трясущихся ртах горящие факелы. Как только один из них обессилев срывается в зияющую пропасть тут же сменщик уже наготове. Они то и дело с тоской поглядывают в небо. Но: ни вертолета ни самолета. Лишь высокие деревья & над ними стервятники.

Апатия охватывает людей все больше и больше. И вот настает одиннадцатый день после падения. Внезапно слышится рев. Из окон со сверхзвуковой скоростью вылетают клочья трупов законсервированные каиниты калеки сельджуки. Гордо и плавно перешагивает через все эти горести белый венский конь-липиццан.

Разве судьба и без того недостаточно испытала этих невинных людей? Нет. Из громкоговорителя доносится голос Чингисхана музыка прекращается как только Дуню призывают попросту в качестве кровавой дани за страшную опустошительную войну между американцами и желтокожими недочеловеками. В ту же секунду в качестве подтверждения изо всех окон раздается стрельба вылетают огненные колеса и несутся над дорогой. Это старый нерушимый закон. Мария внезапно вскрикивает почти как смертельно раненный зверь только много громче. Она пробудилась от своей смертельной летаргии отец! И действительно свершается чудо Чингисхан это украденный еще ребенком долгожданный отец Марии. Отец осени́ же нас своим благословением только тогда мы сможем быть по-настоящему счастливы и растрогавшись великий и страшный хан ужас всего Востока заключает деток в свои объятия распростертые на весь мир. Породистый австрийский жеребец тоже получает заслуженную награду. На этот раз преступное расчленение свободного города пока не состоялось. Адольф наигрывает печальную мелодию на губной гармошке. Местность противится переворачиванию вверх тормашками мундироносцы разглядывают ее сквозь очки для чтения. И пока наверху в замке все это наблюдают давно уже не столь радостные лица а вновь обретенный отец показывает свою дочь сыну человек в черном перебирается через стену падает вниз вскакивает и подобно юркой ласке бежит в полицию. Может ли такое быть? Может ли счастье этих молодых людей уже прошедших столь жестокие испытания снова оказаться в опасности? Судьба еще даст на это ответ она предъявит свой счет.

6. НЕУЖЕЛИ ЭТО И ВПРАВДУ ЛЮБОВЬ

Неужели это и вправду любовь ставшая их проклятием. Аллен Гинсберг и Давид Медалла великие магистры ордена шарманщиков стоят вплотную друг к другу в телефонной будке возле лондонского Гайд-парка причем настолько близко что их длинные расшитые кафтаны как будто сливаются воедино. Их прекрасные серьезные лица искажены гримасой внутреннего волнения. Они пьют вольный солнечный свет из сточного желоба и чувствуют как мухи прокусывают у них яйца чтобы помочь личинкам выбраться наружу (помочь). По их спинам гуляют комары как сомнамбулы почти не касаясь поверхности. Аллен на мгновение задерживает свой взгляд на мертвых и видит кишение муравьев на полуголых телах на желтокожих предметах которые когда-то были людьми. Потом встряхивается и поспешно ковыляет за своим спутником. Земля здесь липкая от крови. Какой-то священник преклоняет колена перед мертвыми молится вместе с ранеными. Только теперь люди на ярмарочной площади наконец узнают что случилось нечто страшное: шарманки смолкают хриплый голос из громкоговорителя призывает добровольцев. Требуются доноры.

Многие поддаются своему желанию уничтожать вырубать убивать почти со священным рвением.

Затем Давид слышит такие страшные крики, каких ему никогда в своей долгой жизни слышать не доводилось. Они начинаются с громоподобных раскатов доходят до рева и завершаются хрипением словно от ужасных ран околевает чудовище доисторических времен. Давид опять пускается бежать. Добравшись до пульта управления он успевает еще увидеть как Аллен извивается на полу в ужасающих судорогах. Он осторожно подходит на шаг ближе и прикасается к нему. Тело у него твердое как stone.

На лице и в глазах у него стоит отблеск плывущих по небу облаков края которых солнце окрасило в кровавый цвет а его худое гибкое тело бессознательно подстраивается к топтательным и хватательным движениям партнера. Хельмут не более чем белокурая тень на горизонте но она становится все больше и больше и всплывает на всеобщее обозрение. Его небесно-голубая фигура в эластичном лыжном костюме энергично взлетает на холм на долю секунды показывается на фоне заснеженных елей и вновь с гиканьем исчезает за гребнем пулей слетая вниз под откос. Снежный шлейф вздымается следом а потом опять не слышно ничего кроме скрипа подрезов на фирне.

Боеприпасы? Вы заблуждаетесь Хельмут. Не забывайте Аллен еще совсем недавно я сам был солдатом. Загружаешь одну торпеду одну ракету в зарядную камеру и ба-бах! Я всегда мечтал узнать как выглядят облака сверху.

Аллен и Давид крепко стискивают друг друга в объятиях поплотнее закутываются в плащ на волчьем меху и смотрят на свой апельсиновый сок. Тут между ними встает начищенный до блеска черный офицерский сапог из небольшой ранки на снег капает кровь. Господин вы не заметили что после вашей рематериализации на вас было испытано оружие нового поколения?

Оба приятеля встретившиеся у дверей казармы казалось не замечали палящего солнца. Они сами сияли как солнце в предвкушении радости от предстоящей убийственной муштры. Они не замечали что небо подернулось едва заметной белесой дымкой. Дождь исключен! Ни у кого с собой не было зонтика ведь такая вещь абсолютно не гармонирует с дорогой светлой тканью мундира! Давид Медалла и Аллен Гинсберг тихо удаляются шагая по крышам зябко подняв воротники и надвинув фуражки на глаза. Их единственные спутники разнообразные звери. Словно проворные белки пробегают они по дворам чтобы с разбегу взлететь на очередную стену и удержаться на ней. Иначе бы им никуда не удалось попасть. Здесь наверху они цепляются за поверхность зубами, повиснув мешком в своих трико. Без страховочной сетки полагаясь только на собственные силы. Они разевают рты упиваясь мягким светом луны.

7. НАСТАЛО ВРЕМЯ

Настало время рассказать благосклонному читателю о путешествии по зеленой Штирии со всеми ее ужасами опасностями препятствиями и препонами. Но это будет у нас настоящий отчет о путешествии а не какая-нибудь необременительная воскресная прогулка. Луси Наггет выходит из большой палатки где она размещается вместе со своими 60 собаками и автоматом для мороженого и сладко потягивается так что соски отчетливо проступают под тонкой как паутинка розовой шелковой блузкой. Она задумчиво но безотказно слушает цветистые рассказы Отто. На ней кожаные штаны в облипку на ногах сапоги в руках жокейская плетка. Удар с оттяжкой замирает не успев прозвучать. Из спасительного укрытия она делает бросок вперед. Ребро ладони тяжелым тесаком обрушивается на шею собаки. Та мешковато падает как воздушный шарик из которого выпустили воздух. Лапы вздрагивают. С этого момента Отто уже не принимает участия в разговоре.

Он тратит много времени на свою внешность и с удовольствием играет роль любезного светского развлекалы очаровательного болтуна элегантного дамского угодника утонченного бизнесмена любителя и знатока вин.

Но была одна вещь которая заводила Отто еще больше: там где у Луси Наггет между ног соединялись губы любви выпирал на фоне ровного железобетона небольшой бугорок своего рода крохотная ступенечка. Так ерунда. Но если за нее ухватиться.

Отто оценивал расстояние которое отделяло его вытянутую руку от этой маленькой влажной неровности. Полметра не меньше. Надо попытаться одним прыжком добраться до этого места. И в ту же секунду он рванулся вверх. Пальцы уже нащупали край потайной шахты Луси. Но ему не удалось сразу найти клитор. Он снова шлепнулся на пол. Только когда он вновь добрался туда наверх он смог втянуться внутрь опереться руками и протиснуться по шахте дальше ввысь. Как альпинист в скальном камине. Что-то у Луси начало бурно вздрагивать. Это очень затрудняло маневрирование.

Штирия вовсе не зеленая Штирия скорее желтая это неплодородная пустынная местность о чем я хочу предупредить вас заранее. Старая леди бурая как козлиная шкура которая родилась и выросла в Леобене / Кении как раз рассказывает веселую историю о знаменитом мау-мау. Луси охватывает ужас пронзительно вскрикивая она скачет под душем. Гончие и борзые подобно огромной светлой тени мчатся сквозь охваченный низовым пожаром кустарник к спасительному океану. Белое тело Луси по-прежнему извивается от смеха под теплой струей кока-колы фонтанирующей из специальных надутых пузырей которые пристегнуты к груди старой леди. Ее красные губы пылают как открытая рана на нежном овале загорелого лица плутовато сияет и поблескивает пара голубых глаз. Вожаки своры вязнут в глубокой пыли. Убийственно палит солнце загонщики орут и щелкают кнутами.

Одуревший Отто уже дважды почти уцепился за клитор Луси. И оба раза соскользнул. Но он продолжает добиваться своего как прыгун в высоту который вот уже два раза сбил планку а теперь идет на последнюю решающую попытку за которой либо победа либо поражение. Вот очередной рывок. Пальцы крепко цепляются. Теперь он повис на вздрагивающем выступе. Внушительный шмат ванильного мороженого только что сбитого автоматом Луси падает прямо ему на лицо проникает во все отверстия но он и не подумает разжать пальцы!

Рука у него дрожит. Весь низ живота у Луси тоже дрожит зубы стучат как в лихорадке ее насмешки перескакивают с одного на другое неслыханными прыжками сотрясая Отто. Но он не отцепляется.

Все наливаются жиром & жиреют под этим прекрасным голубым небом и в конце концов отваливаются и падают в суп. Плюх!

Отто пьет пиво. Мы по-прежнему надеемся что это будут путевые заметки без всяких лишних глупостей. Соблюдая осторожность он старается держаться как можно крепче не обращая внимания на жидкость которая окатывает его при каждом телодвижении. И подтягиваясь ползком продвигается вверх. Его плечи достигли нижнего края шахты. Теперь их придется как-то скрючить и протолкнуть внутрь.

Корабль качало на волнах & покачивалась влево-вправо белоснежная обшивка верхней палубы она скользила под босоножками Луси синевой отливало Средиземное море под немилосердным убийственным зноем. Ты прекрасна Штирия родина моя ты прекрасна пел эрцгерцог Иоганн. В любом случае слово прекрасный должно встречаться в каждой главе этого романа воспитания. Стюард с напитками на подносе сновал между рядов неподвижно раскисших на жаре пассажиров всех национальностей рас цветов и профессий. Снизу из бара доносился гомон пьяных мужчин и был слышен безрадостный смех девочек с верхней палубы. Гермес-3 — Гермесу-2 просьба выйти на связь. Инспектор портовой полиции П. ждал ответа от Эсперансы которая выбившись из расписания затерялась где-то в Атлантике. Сообщить о прибытии в порт выгрузить пассажиров как и было намечено. Конец связи. Теперь Отто прочно удерживается у входа в отверстие. Верхняя часть тела уже вошла туда целиком. Он неимоверными усилиями продвигается вверх сантиметр за сантиметром. Он чувствует что у него все получится. Луси сладким айсбергом качается на голубых волнах. Она заслоняет Аллену солнце. Гора разрастающаяся между ее загорелых ног не дает ей сделать ни шагу. Розовый язык то и дело высовывается из юношеского рта Хельмута и лижет льдистое мороженое по имени Луси. Тысяча мельтешащих собачьих лап превращает воду в кипящий котел. Молодой метис увешанный орденами и вымпелами говорил на почти совсем непонятном сленге далеких побережий на нем бермуды цвета хаки расстегнутая из-за жары рубашка голые ноги опущены в чан с растаявшей Луси sipping martini on the rocks. На хорошем турецком с едва заметным иностранным акцентом он повторил свое требование недвусмысленно указывая при этом на свой миротворящий револьвер. Да верно это ведь должны быть путевые заметки. Полконтинента вся Штирия все затоплено Луси города & деревни эвакуируются стражи порядка в элегантных лодках плывут мимо. Как они разговаривают с сэром Бенджамином Франклином cow arse шипел по-английски Отто сквозь золотые зубы чахлые сосны отбрасывали чахлые тени высоко над ними коршун чертил в альпийском воздухе свои однообразные круги. Именно в этот момент папа римский вместе с ветреной работницей-иностранкой по имени Бранка исчез в зарослях крапивы. И все же как прекрасно (прекрасно) было вновь оказаться дома. Туарег на своем белом беговом верблюде мчался напролом через фата-моргану так что членам ангельской семьи разинувшим свои жадные пасти досталось по кусочку Луси.

Хитрецы Джон & Пол оспаривали у Джорджа & Ринго свое место под солнцем. Меня зовут Хельмут сказал Отто с несвойственной ему вежливостью я и есть те самые путевые заметки которых вы так долго ждали вместо того чтобы давно уже поджечь всю книгу слышите вы идиот. Толстая хозяйка наливает тройной энциан в качестве привязного аэростата она парит над глыбой льда которая раньше и была Штирией. Она передвигается с легкостью феи в этой непривычной для себя стихии. Напудренный до снежной белизны наемный танцор тащит глазированную американку по гладкому паркету. Луси пронзительно закричала когда ее ледник внезапно ожил. Теперь я наконец-то и вправду дома я всё узнаю. Отто это мужчина который пока еще находится в стадии развития и тем не менее он обязан отвечать за свои поступки. Луси тоже с ледяным спокойствием перерастает все спасательные круги. Ее запах опрокидывает всех кто приближается к ней. Отто занял позицию ровно под ней и светит фонарем во влагалище Люси. Просматривается длинный ход наверх. Возможно он дойдет аж до самой макушки.

Луси триумфально миновала ледяную гору. Ее собаки в одиночестве несут караульную службу а с елей осыпается сухой легкий снег. Хельмут посмеиваясь стряхивает белую алмазную пыль с куртки с брюк и рукавиц. Невыносимая розовость вечернего неба отбрасывает отсвет и на Луси она отличается полновесным фруктовым изысканным освежающим вкусом.

Ибо свет поступающий снизу Отто заслоняет своим собственным телом. Ковбой что за штуку такую ты мне впрыснул меня от нее не прет! Я вообще ничего не чувствую.

КОВБОЙ ЧТО ЗА ШТУКУ ТАКУЮ ТЫ МНЕ ВПРЫСНУЛ МЕНЯ ОТ НЕЕ НЕ ПРЕТ! Я ВООБЩЕ НИЧЕГО НЕ ЧУВСТВУЮ!

8. УПИВАЯСЬ ПОЦЕЛУЯМИ ОПУСТИТЬСЯ

Упиваясь поцелуями опуститься под купол цирка или вращаясь упасть на скальный выступ библейская Дженни в арсенале черные волосы до плеч мелкие локоны завивка налобная повязка смоченная в рыбьем жире глаза исполненные ответственности кончики ресниц намазанные тушью cherry mouth подвижная удавка сияющего творога белая гладь она мягкая войлочная фигура предлагая ему свою пламенную пухлость в полете по настоящей аэродинамической трубе снизу вверх проглатывание сияющего творога в стойке на брусьях Фрэнк Заппа пустился в пляс танго в свежем виде бушующий поток шумное дыхание комедианта во время сальто легкомыслие налицо десерт из вишен на экзотической соломинке сзади проникновение гигиенических тампонов из пробки катящейся кувырком & губная помада отдыхающая трикотажная обманщица трибадка из древнего портсаидского меда мейсенские шафрановые копи тяжелобогемский кобылий цвет лепнина из сала и ревеневого сока на желтоватом фарфоровом умывальнике. (Умывальник.) Истинно венский труп. Прекрасно.

Отто с одного взгляда оценивает циркового акробата. Он сразу видит что этот человек для него проблемы не представляет.

Лифт опускается вниз и разлетается на кусочки.

9. ВОСЬМОЙ ЭТАЖ (ВОСЬМОЙ ЭТАЖ)

Хозяин гостиницы считал что восьмой этаж может быть отчасти использован под жилье поэтому флигель был отделен и там была повешена табличка private (private). Там наверху свет не горел. Человека в черном особенно и не беспокоило включит ли там кто-нибудь свет потому что в данный момент у него не было никакого сомнения в том что он попал по меньшей мере в местное управление шпионской организации. Даже если его внимательность по несчастливой случайности бросится в глаза кому-нибудь из постоянных обитателей они наверняка попытаются незаметно устранить непрошеного гостя и свет им для этого не понадобится. Человек в маске как раз только что одолел деревянную лестницу когда в коридоре вспыхнул свет карманного фонарика он поспешно нащупал ручку двери у себя за спиной и она с тихим почти неслышным скрипом подалась. Все смеялись только Элизабет оставалась серьезной. Кованые сапоги грохотали по деревянной лестнице где-то открылась дверь раздался вопль который тут же перешел в безутешные рыдания. Охотничий сапог Хельмута с математической точностью попадает в детскую головку он тихо цедит сквозь зубы: я надеюсь вам не пришло в голову вообразить всерьез что в нашей отчаянной борьбе с желтой заразой мы впряжемся в одну упряжку с какими-то там революционерами (революционерами). Которые благодаря нашей системе защиты трансмиттеров сейчас находятся в безопасности в соседней галактике. Фарфоровая ваза с нарисованным на ней букетом фиалок разбилась вдребезги и лежит перед мраморным камином огонь в котором вот-вот погаснет. Шварцвальдские ходики тихо и самозабвенно тикают. Это дело рук злого Хельмута он устроил чистку во всем заведении. Его член вновь и вновь проходится по увитой виноградом и плющом стене поливая мочой огненно-красные пеларгонии и глаза у них уже не такие безнадежные. Его охватывает страх. Боже мой! На радостях он об этом и не подумал. Опять в воздухе повисла какая-то угроза.

Ослепительный кадиллак бесшумно останавливается перед входом. В полированном металле отражается лицо чудо-человека его растерзанный турнюр его спутанные волосы.

Доброе благостное лицо Элизабет и свежий утренний воздух моментально приводят в порядок нервы Хельмута и потихоньку возвращают его к действительности. Царит душная нездоровая атмосфера как это обычно бывает за границей. Оба полуразложившихся трупа при взгляде на которые невозможно определить кому они принадлежат ребенку мужчине или иностранцу уже не привлекают к себе его безраздельного внимания. Кровать. Может быть именно здесь нашел наконец пристанище Кинг-Конг устав от неурядиц этого мира? Такие принудительные меры никуда не годятся. Но внезапно сквозь это смирение прорывается мысль Кинг-Конга: мой сын преступник. И разве в этом нет моей вины? Я слишком мало о нем заботился. Когда он начал заходить слишком далеко, я просто стал давать ему меньше денег на карманные расходы. Вот собственно и всё. Сплошь вопросы на которые Человек-летучая-мышь не знает ответа но которые копошатся в нем свербят и саднят. Справа от настоящего персидского мостика стоит тяжелый серебряный поднос с заплесневелыми протухшими объедками черная икра омар à l'americaine белый хлеб сыр шмат прогорклого масла в масленке Элизабет между ляжками. Стакан буквально усеян отпечатками пальцев. Человек-волшебник чувствует как ладони у него становятся влажными и по голове прикрытой черным капюшоном распространяется странный зуд. Он чувствует тянущую глухую боль в груди когда с ужасающей ясностью осознает: он оказался плохим отцом. Я породил двоих детей но не воспитал их. Отцовская твердая рука Робин наверняка в ней никогда не нуждался потому что характер у него твердый и сильный. Но Ханс мой сынишка Ханс. Оболтус. Тут уж не в Кинг-Конге дело, тут замешана Белая Женщина.

Шнур звонка оборван & болтается безостановочно ее щеки горят от стыда. Белый телефон с золотым диском молчит. Огромная белая рука с огромной силой захлопывает дверцу машины и нежная маленькая фигурка распадается при этом на две половинки из которых одна опускается на обитое кожей мягкое сиденье другая же валится в канаву. Верхняя губа Кинг-Конга покрыта потом его тяжелый дряблый подбородок вздрагивает. Придется произвести ампутацию шепчет он придется ампутировать голову.

В долгое молчание которое никто не отваживается прервать гигантским прыжком врывается Элизабет он сбрасывает с себя оцепенение и бросается к двери. Как он того и хотел образ статной девятнадцатилетней девушки в элегантном костюме из ткани пепита какой он видел ее в последний раз в те блаженные дни навсегда запечатлевается в его памяти.

Подслеповатое зеркало показывает Человеку-летучей-мыши облик мужчины средних лет в умеренно-сером костюме с лысиной средних размеров носом & хоботом средней величины короче среднего человека с хорошей репутацией. Навозные мухи отливающие зеленью & назойливо жужжащие становятся непереносимы. Преступник-охотник сам того не замечая проводит рукой по влажному лбу. Снаружи горничная гремит посудой. Зашевелились первые посетители захлопали дверцы машин. Начинается обычный рабочий день. У человека в маске времени осталось совсем немного. Коэффициент полезного действия за эту ночь поистине жалок. Золотые мужские наручные часы могут оказаться смертельным оружием но могут и не оказаться.

Человек-летучая-мышь явно и понятия не имеет с какой хитростью подлостью коварством и даже отвагой его противники обычно берутся за дело.

Человек в маске хочет как можно быстрее исчезнуть после исполнения своего коронного номера. Минуты через две он внезапно распрямляется и поворачивается к Кинг-Конгу. Вся розовость схлынула с его лица. Он откашливается проводит рукой по редким светлым волосам напомаженные пряди которых зачесаны так чтобы прикрыть наготу лысого черепа. Он пытается предупредить людей что это именно он.

Тут же справа совсем справа возникает Дуня она опять в курсе дела старая русская графиня в изгнании. Человек-летучая-мышь в маске искоса смотрит как она стоит на коленях в гостинице перед своей кроватью исполосованной неистовыми ударами ножа какого-то фанатика политического фанатика как моментально определяет знаток. Сама она кажется до сих пор ничего не заметила потому что она как мы видим поспешно запихивает свой летний гардероб в большой чемодан на колесиках. Позже когда наш рассказ возобновится с этого места мы снова встретим ее на борту.

Кинг-Конг постепенно по частям перемещает в холл тело расчлененного молодого пролетария в которого угодила дверца машины. Под конец настала очередь оторванной левой руки. Мужчины вдвоем складывают части тела юноши по порядку. Кинг-Конг склоняется над его головой которая безучастно стоит на кожаной кушетке. Слезы текут у юноши из-под очков из закрытых глаз катясь по щекам. Он так хотел учиться в университете как все теперь похоже ничего из этого не выйдет. На мошенника парень не похож так и доктор считает.

Летучая Мышь надевает поверх синей бархатной домашней куртки белый китель подходит к умывальнику шумно и тщательно моет руки вытирает их бумажным полотенцем и бросает его в белое эмалированное ведро для мусора.

Однако глаза его производят впечатление абсолютной честности. Малышка по-прежнему плачет по своим родственникам и своим замечательным книгам. Мертвый человек-горилла лежит в изножье оскверненного ложа. Повсюду видны отпечатки гигантских ног и следы когтистых лап. У творца этого позднеклассицистического дома была жена-красавица (красавица) которая внезапно помешалась. Но он безумно ее любил и поэтому не хотел отдавать в лечебницу. Зато он принял все меры предосторожности и позаботился о том чтобы в своем доме она была под соответствующим присмотром. Она что здесь и умерла спрашивает Элизабет порочная улыбка скользнула по ее губам лихорадочный блеск появился в глазах лицо наполнилось небывалой жестокой красотой. Бедный Кинг-Конг дитя дикой природы такой юный такой одаренный и тому подобное. Да-да она умерла здесь. Она пролезла через единственный не забранный решеткой люк на крыше. Замаскированный охотник за преступниками повернулся широкой спиной к той сцене на которой разыгрался заключительный акт этой человеческой трагедии и глубоко потрясенный закурил Camel. Ох уж этот мускулистый хитрец!

В конце концов выяснилось что эта знаменитая телевизионная монашка («Христианин и время») Ирмгардис Штраус невиновна. Выяснилось что все сплетни о ней неправда. Но все-таки свое действие эти сплетни возымели. На наших домашних телеэкранах мы ее больше никогда не увидим. Хорошего газеты редко добиваются зато плохого добиваются успешно как мы видим. И вот к этим наглым парням из бульварной прессы для которых нет ничего святого после всего этого принято обращаться уважаемый коллега. Я этого никогда не делаю!

10. ЭТО НЕ ДОЛЖНА БЫТЬ

Это не должна быть серьезная книга каких много она нужна больше для воодушевления и парения. Легкое радостное чтение во время ничем не отягощенных каникул для летнего отпускного багажа. Книжечка которую приятно будет взять в руки даже в так называемые собачьи дни в страшную жару когда вы уютно устроились в шезлонге на пляже или на лугу или в лесу которая не будет грузить вас высокой политикой жестокостями царящими в окружающем мире или у вас на родине не отяготит сложными проблемами. Книга которая наконец-то не напрягает а наоборот расслабляет и развлекает. Кроме того в ней вы найдете массу полезных сведений и советов как организовать жизнь интереснее. Славно. (Славно!)

11. НО ВЕДЬ ОТТО МОГ БЫТЬ И ДРУГИМ

Но ведь Отто мог быть и другим. Прежде чем его начали обзывать провокатором или оболтусом без будущего он молниеносно сориентировался и собрал вокруг себя бывших дворовых приятелей это наитемнейшие личности из числа венской молодежи мелкие служащие которых он подчинил себе грязным вымогательством неудовлетворенные жизнью чиновники наркоманы пьяницы подмастерья голубые подонки трамвайщики почтальоны официанты все как один ничего не добившиеся в жизни не имеющие родного угла ничего путного собой не представляющие готовые за доброе слово на всё ну просто на всё. В качестве штаб-квартиры им служила расположенная в идиллическом месте общественная уборная в центре города под землей в районе улицы Рингштрасе куда можно было съехать по бетонированному пандусу таща за собой самые ужасные пороки именно этим путем шло все что было наворовано в магазинах самообслуживания в универмагах на Марияхильферштрасе тамошний ворованный транспорт ручные тележки были наполнены фруктами овощами колбасой горчицей печеньем пивом содовой кока-колой сладостями. Здесь в теле какой-нибудь полной надежд молодой парикмахерши начинает зреть плод чтобы увидеть свет холодного враждебного мира. Вскоре здесь погибнут юные цветы человеческих жизней беспощадно растоптанные. Отсюда снизу некоторые вещи кажутся величественнее чем луна там наверху. Здесь внизу мама Отто произносит знаменательные слова: но дети разве вам не стыдно вы такие большие а ведете себя как дети! Что подумают твои друзья когда увидят здесь весь этот жуткий бедлам. И все мои сбережения ты опять украл. С упреком смотрит мама на это мало-презентабельное место. Вот куда Отто обворовавший собственную мать бежит со всех ног. Многого здесь просто не существует. Здесь и помимо этого случаются многочисленные неслыханные мерзости в непосредственной близости от исторических памятников со всеми их традициями.

Отсюда следует

20 лет просидеть в Индии среди тропической лихорадки понастряпать сырого опиума продолжать заниматься саморазрушением в Вене в компании дорогих девочек в маленьком кафе в районе Херналь с состоящем из бесчисленных отдельных кабинок завораживать туристов дешевой иностранной музыкой наигрывая ее на жильных струнах. Но самое прекрасное это когда на каждый пенис насажена лихая ядреная черная девчонка или ты просто стоишь с ней в воде забавляясь от души. Будем надеяться что мы никогда не окажемся в такой ситуации когда нам придется стрелять по немецкой подводной лодке!

Юная дама была как нетрудно догадаться наш Отто.

Сделать вид будто у тебя болит живот и хладнокровно застрелить заботливого полицейского его же собственным служебным оружием. Протереть туалетной бумагой его умоляюще распахнутые глаза и после этого застегнуть ширинку. Будем надеяться что мы не попадем в такую ситуацию когда придется застрелить американца в уголке нашей ванной. Это лишь приблизительная подборка благотворительной деятельности Отто во имя своего ближнего. Практические комментарии ниже.

Ученый ведущий собственные исследования знаменитый биолог и специалист по лейкемии маленький пачкун с пристрастием к инцерсдорфской ливерной колбасе. Мужчина 40 с небольшим в расцвете сил уже лет 20 торчит в Индии там где свирепствует тропическая лихорадка вдалеке от своей жены Отто которая его обманывает. Он хочет обратно в Германию. Звук костной пилы по-прежнему так и стоит у него в ушах. Но облака препятствуют приземлению самолета в этой богом забытой долине Чандр. Это первая человеческ. трагедия в нашей молодежной книге. По этой самой причине названный человек в этой книге больше не появится забудьте о нем он сам в этом виноват.

Когда Отто нерешительно повернул кран отвратительная вонючая вода брызнула вверх вместо того чтобы течь в канал. Он и его нынешняя подруга студентка-лингвистка промокли насквозь. В наши дни приходится соблюдать осторожность когда пускаешь чужого человека в свой дом. Поэтому пока Отто вытирает на кухне стаканы и серебро его рюкзак подвергается детальному осмотру. Так или иначе во время осмотра обнаруживаются странные вещи. При этом срабатывает эффект неожиданности хотя твоя собственная жизнь не так уж бедна неожиданностями.

Отто копия отец только моложе. Отличий между ними немного: фашистские усики еловая хвоя в волосах слишком гладко отполированный посох. Мелочи в сущности но они бросаются в глаза. Превосходство и вместе с тем неуверенность как ни парадоксально.

У Отто и его друзей концы уже давно снабжены острыми рыболовными крючками твердо как небольшие стволы орудий торчат они над разграничительной стеной. Если какой-нибудь не знакомый с местными обычаями жирный нацист из любопытства хватался за них то ударом бедра обладатель отбрасывал его через бруствер к шестерам которые обирали его до нитки а потом отпускали на все четыре стороны сделав ему несколько дырок в прямой кишке. Ребенок которого делали женщине с рождения ходил весь покрытый паршой и оказывался ни на что не годной обузой родителям бедняжка.

В облицованном кафелем предбаннике писсуара бесплатные помоганцы Отто энергично сдвигают столы и стулья и организовывают праздничный стол для мирной делегации американских гостей нашего города в духе миссии братского единения народов. Иностранный туризм всегда интересовал Отто только его представления об этом несколько отличаются от общепринятых. Даже самый громкий пердеж ему без удовольствия да и играть он привык вовсе не на цитре цимбалах гитаре пианино. Громко вопя плавают штатовские граждане в кипящем супе причем героев среди них нет. Скоро дорогие родители в заокеанской стране по праву пребывавшие в большом волнении из-за того что их неоперившихся птенчиков отправили во Вьетнам узнают что те в целости и сохранности блаженствуют в Вене гостя у своих бывших сотрапезников из веселых студенческих времен. И там красные как раки вереща в голом виде барахтаются в супе. Воинская служба обычно сама себя разлагает но поскольку Отто не дремлет то он уж сам об этом позаботится. Он уж отделит зерна от плевел. Даже в церквах вонь стоит после всех этих крестин-именин.

Наш муниципальный жилой дом попросту отваливается от своего фасада и рассыпается на кусочки. Мы до смерти перепугались. Хорошо еще что мой муж спит у стенки так что он ничего не заметил но зато очень скоро завопил весь дом. Поскольку ни одна семья не лежит уже в одной кровати а все больше смотрит куда-то вдаль в телевизор Отто рассматривает своего постоянного поставщика который привозит ему товары совсем другими глазами.

У Отто густая поросль на подбородке как у всех брюнетов и все лицо у него уже покрылось черным пухом. Он ловит себя на том что ухмыляется перед зеркалом.

Непристойные атаки на женщин и девушек этого города всегда остаются для Отто основной забавой при этом он соединяет в себе элегантность папы римского с изворотливостью умного Али-Бабы в боях без правил. Его уникальный удар бьет наповал. Только это и делает все заманчивым и грандиозным.

Как бы громко ни вопила домохозяйка о муже и детях которые остались дома о работе о еде на плите Отто беспощадно зажимает ее в тиски своих ног и вот она уже оцепенела сломлена и обесчещена. Как громом пораженная она беззвучно валится наземь этот мешок с тряпьем бывший когда-то человеком. С деторождением покончено навсегда. До ужаса быстро все это порой происходит.

Символ молодого рабочего живое свидетельство перед храмом Тесея должен обогатиться из арсенала Отто новыми рубашками галстуками пиджаками свободного кроя ботинками носками шляпой с тирольской кистью и посохом путешественника. Ни одна женщина не сможет передо мной устоять беспокойно думает Отто поглядывая на свою визави. У вокзального буфета мы находим наконец-то 35-летнего участкового инспектора Хельмута К. дежурного чиновника которого мы ищем с самого начала этой главы и который несмотря на свой молодой возраст уже успел доказать свои исключительные способности верность долгу и достоин всяческого поощрения и все такое так вот находим мы его мертвым в луже крови. Он убит: выстрелами в лоб виски живот половые органы рот грудь почки. Кроме того пинками ударами ножа и укусами. Зрелище ужасающее ладони его измазаны нечистотами бедные белые руки Хельмута на которых до сих пор еще блестят кристаллы снега. Бедные красные губы Хельмута на которых дрожат капли крови бедные белокурые локоны которыми больше не играет ветер бедный маленький член Хельмута который висит где-то среди елей. Бедные ноги Хельмута которые до сих пор мчатся на санках вниз с горы и не знают что нет больше на свете мальчугана по имени Хельмут.

Потрясенные товарищи убитого инспектора по работе считают что убийцу нужно искать в кругах гомосексуалистов. Поиски этого неслыханно жестокого преступника которому грозит суд Линча идут полным ходом в обстановке строжайшей секретности. О ужасная боль пронзила белое полицейское тело Хельмута под белым полотняным покрывалом.

Зато Отто не мертв. Отто просто лег на дно чтобы избежать встречи с полицией. Вот-вот он снова появится чтобы получить господство над миром. В своих руках он держит орудия власти. Но мог ли он действовать иначе? В каждом из нас есть частица Отто там где смеются и шутят дети там где женщина с мужчиной лежат вместе довольные и исполняют свой долг где счастливая мать превозмогая боль продолжает улыбаться где старуха со стариком на пару радуются весеннему солнышку везде Отто тут как тут в городе и на селе и в каждой земле. Бедная земля Бургенланд.

12. ПЫХТЯ ОТТО НАБРАЛ

Пыхтя Отто набрал в легкие воздуха и тут же после ледяного страха одолевавшего его до сих пор почувствовал как теплая волна волна гордости поднимается у него в груди. Он в последний момент избежал ловушки и перед ним раскинулся спасительный склон. По ранжиру выстроились домики деревенских туалетов в каждой деревянной двери вырезаны одинаковые сердечки над крышами крытыми дранкой курился дымок и little Джон little Пол little Джордж little Ринго высовывали в окно свои радостные физиономии. Ледимадонна. Над ними парили разноцветные воздушные шарики они пыхали как солдатские винтовки в руках томми и выплевывали заряд свинца на прохожих так что те падали словно срезанные косой косаря. Джон вскочил на утыканный цветами брустер и сказал теперь у меня остались только вы & дело моей жизни. По небу плывут стаи противников бронзовая стая бешеных. Враждебно униформированному бургомистру little Пол посадил между тем на сержантский мундир вишневые пуговицы в два ряда так что тот судорожно прижимая к груди свое христианское сердце повалился в неестественно-зеленую green травку. Нагая деревянная женщина олицетворяла стереотипный вариант из источника в кувшин и из кувшина в источник партизанская война ей очень досаждала бах бах гляди-ка как они припустили how they run!

Отто предводитель дружественных красных мундиров пошел на непосредственный контакт когда потом наконец-то наступит зима высокие сугробы заметут кладбище автомобилей а его обитатели победители будут сидеть по-турецки на своих крышах курить свои joints и наслаждаться ночью длинных ножей. Таково и это памятное место воспоминаний туда туда размечтался Отто. По небу маршируют подоспевшие на подмогу друзья суровая бронзовая стая бешеных.

13. ЛАЙНЕР ЭСПЕРАНСА (СЕРИЯ 2)

Лайнер Эсперанса спокойно движется через Атлантику преодолевая долгий путь из Европы в Бразилию. Пассажиры радостны & беззаботны. Корабельная команда делает свою обычную повседневную работу. Незамеченный пассажирами загадочный испанец Мануэль Кортес-Мария-и-Мендоса гениальный врач ученый и гонщик дьявол и идол принимает на себя командование судном. Атака не удалась и тут же на палубе Б вспыхивает огонь. Бросится ли Мануэль в огонь чтобы спасти Дуню или же сердце победило наконец доводы холодного рассудка? Сантехник которого элитные пассажиры лайнера нежно называют просто Отто с лихорадочной поспешностью ремонтирует все неисправные водостоки свинчивает краны в ванных молотком разбивает унитазы колет на куски кафель наполняет биде собачьим дерьмом в дугу сгибает душевые трубы. Он ожесточенный классовый борец скрывающийся под маской своего парня добродушного работника и обывателя. Марию и других важных матрон он вытаскивает из сумрака капитанского кубрика и больно хватает их за грудь или за что придется.

В некоторых отдельных ванных комнатах вода обогащенная мочой Отто доходит людям уже до горла в ней плавают окурки объедки рвота и т. п. давление в паровых котлах в машинном отделении стремительно падает. Саботаж. Тревога. Где изоляционные прокладки гаечные ключи спасжилеты? Красивые благородные женщины хватают в охапку свои платья и с криками бегут в непонятном направлении. Отто рассказывает там был чудовищный пожар множество домов даже церкви и синагоги со всем что в них было сгорели дотла. И мои метрики разумеется тоже. Отто рос в одиночестве товарищей по играм у него не было. Радуйтесь что я не распилил эту посудину пополам. Так говорил сантехник Отто. Когда точно мы достигнем берегов свободной Южной Америки? Тут уже и у самых благодушных улыбка сошла с лица.

Отец пленный фриц как говорили русские вернулся из России да в русскую же зону мать крестьянка из Восточной Пруссии с толстой задницей вошедшей в историю благодаря многочисленным правдивым романам о родном крае верная мужественная женщина. Накрапывал дождь. Небесный воск тает так говорят у нас дома про такую погоду. Девчонку звали Дуня и развита она была не по годам. Еще одна Дуня. Эти люди терпят непостижимые лишения многое теряя но никогда не теряют своего исконного земляного юмора. Что вы скажете обо всех этих происках интригах кознях? Отто давится выступившими на глазах слезами & напоследок обмазывает трубы с горячей водой топленым салом которое тут же растапливается как об этом красноречиво свидетельствует его название и теперь пол становится скользким. Тогда Отто хватается за магистральную трубу водопровода повисает на головокружительной высоте и в висячем положении соскальзывает по ней до каюты номер 1764. В перепуганном насмерть воздухе он не учуял никакой опасности. Когда он добрался до места началось самое сложное. За последние часы сделалось еще теплее. Снег & лед растаяли значит нельзя было ступать на крышу пока он прикасается к проводам высокого напряжения. В результате ему ничего другого не оставалось кроме как заранее отпустить руки. Правда он пролетел вниз всего-то полметра но поскользнулся и никак не мог ни за что ухватиться (ухватиться). Любители водных лыж образовали в голубой бухте Маракайбо шумную пеструю оживленную толпу. Пенные брызги летели из-под лыж во время элегантных поворотов загорелые девушки в едва заметных на теле бикини лучезарно улыбались в камеру. Почти никем не замеченный Бен Чандер поднялся на борт нефтеналивного судна. Он новое действующее лицо. В багаже у него ничего нет кроме немецкого маузера. Под кличкой Пасхальный Заяц он выполняет задание. Белый Гигант посмотрел на умирающего голубя Отто бедную птичку на коньке крыши ни один мускул не дрогнул на его по-мужски суровом словно из камня высеченном лице потом молча протянул свою великанскую руку помощи человеческому детенышу казалось все милосердие мира отразилось на его лице. Он произносит только иди сюда. Облегченно всхлипывая Отто этот упрямец слушается. Фирма оборотень. Заветное слово. Пароль. Наконец-то. Молча пожал он руку Бену и уставился на агентшу с кобурой на плечевом ремне. Вода. Перекрыта. Палуба. Обработана. Пути к бегству. Отрезаны. Порядок. Восстановлен. Спокойствие. Организовано. Америка. Там фашизм. Россия. Ревизионизм. Мао. Наше будущее. Хо Ши Мин. Наше будущее. Наш спаситель. Это Дональд Дак. Негры. Богатеи. Китайцы. Они все актеры.

Господи укажи мне путь покажи мне хоть какой-нибудь путь чтобы я смог защитить вот это маленькое существо говорит Отто. Вы ведь были специалистом по взрывчатке во времена Сопротивления говорит Бен. Да. Тогда идите на склад и пусть вам там ее дадут. Такое нежное такое маленькое существо а родилось в мире который никогда никогда не сможет проявить к нему доброту. Господи укажи мне путь хоть какой-нибудь путь чтобы я смог защитить вот это маленькое существо говорит Отто.

Моя мать была немного боязлива сказал Отто.

В нашей истории далеки от повседневности только персонажи и внешние обстоятельства. Наркотики пресыщение жизнью это повседневность. И люди любят читать про такое в газетах.

14. НЕ ПОДОЗРЕВАЙТЕ ЕГО СРАЗУ

Пожалуйста не надо спешить с подозрениями он не виноват что у него такая внешность наблюдения которые вы упоминаете ничего не доказывают и вряд ли на что-то указывают ведь бывают же мужчины которые чем-то похожи на женщин это связано с тем что в их крови женск. гормонов чуть больше нормы с извращенными намерениями это не имеет ничего общего если бы это было так он бы давно уже выдал себя например он отчетливо предпочитал бы совершенно определенный тип людей & относился бы с симпатией в данном случае к типу по-мужски грубому и подчеркнуто жесткому его привлекала бы противоположность. В этом случае вам пришлось бы сразу его уволить! Если требуется нерв чтобы восстановить работоспособность руки можно использовать нерв икроножной мышцы в качестве замены утраченного нерва руки при этом необходимо заранее учитывать что после такой операции пальцы ноги при ходьбе не смогут шевелиться но современная ортопедическая обувь со стальной пружиной в подошве поможет исправить этот недостаток. Моя жена упрекает меня в том что я так люблю что-нибудь мастерить и часто этим занимаюсь но позвольте а что мне еще делать в свободное-то время? В подвале где я никому не мешаю я оборудовал мастерскую и там могу пилить строгать клеить это доставляет мне колоссальное удовольствие. Торчать все время перед телевизором это же тупо. Я ведь даже мебель делаю. На прошлой неделе я смастерил из березы садовую скамейку очень красиво получилось а теперь делаю подставку для цветов.

Отто с недовольным лицом поддакнул. (Отто еще мог успеть отпрыгнуть в сторону но отскочившая доска со страшной силой обрушилась на него и в беспорядочной пляске мир померк у него перед глазами на пару часов пару минут. Кто его знает.)

15. ЕСЛИ МЫ УКОКОШИМ ОТЦА

Если мы укокошим отца для нас все снова станет просто якобы сказала однажды ночью Мария обращаясь к О. Она крадет дедушкино ружье системы флобер и приносит его своему возлюбленному. О. пару дней тренируется на птичках расстреливает весь боезапас который принесла ему Мария до последнего патрона. Этот последний он оставляет. И в тот же миг гремит выстрел. Сдетонировало при зарядке. Когда отец узнаёт что О. собирался охотиться на кроликов он предлагает ему еще 30 боевых патронов хранившихся у него дома боезапас который предназначен для его собственной смерти.

К каким фантазиям все это приведет это прозябание в собственноручно вырытых земляных пещерах все время в состоянии бегства от собственных детей которые воруют комиксы сигареты бутылки пива зажигалки отбирают у вас буквально последнее эти ублюдки из приличных домов. Которые злобно совсем как звери роются в затхлом платяном шкафу отца закапываются в груды грязных кальсонов армейских кителей сапог таких и сяких плащ-палаток погребенные под кожаными штанами гетрами носками набрюшниками шнурками. Если О. однажды как следует вглядится в ряшку Марии он тоже сразу задохнется в бездонной куче заплесневелых костюмов рубашек довоенных галстуков форменных беретов. Это не приведет к розовым мечтам о жирных пакетах с дичью и деликатесами на снегу.

Замшелые подштанники армейские кителя сапоги двухшовные и простые плащ-палатки кожаные штаны гетры носки набрюшники шнурки костюмы рубашки довоенные галстуки форменные береты они в конце концов засовывают под пианино накрытое покрывалом с жемчужной бахромой из времен материной юности запихивают за диван застланный парчой навешивают на оба грубых крестьянских кресла возле массивной дубовой двуспальной кровати с инкрустацией кладут в тумбочку рядом с кроватью откуда к тому же пахнет тем что папуля делает под себя. Попытаться избежать этого своего пути то есть окурков плевков пивных кружек домашних тапок очков челюстей свечей от геморроя сердечных капель кала мочи рвоты. Через все это вам придется пройти собственными трудами потому что вы молоды. Через все это вам пришлось пройти с боем потому что вы были молоды и должны были со временем унаследовать всё это хозяйство. Вскоре дивное хозяйство оказалось под слоем дерьма & личинки в дерьме как бы законсервировались. Словно вмерзшие в студень и уже никогда не оттаявшие как парашют Хельмута над Ледовитым океаном.

Вскоре замшелые подштанники армейские кителя сапоги двухшовные и простые плащ-палатки довоенные галстуки форменные береты кожаные штаны гетры носки набрюшники шнурки костюмы рубашки оленьи рога словно законсервировались под створоженным слоем семени.

Старик никуда не убегал не освобождал им место не отправлялся в путешествия не сдавался не успокаивался не убирался восвояси не уходил с поля боя никуда не уползал не уматывал не отдавал концы не сходил на нет он все ездит и ездит себе на прогулку на своем мопеде в котором сосредоточилась вся гордость и отрада его возраста. Я не могу надолго бросать дом на произвол судьбы. Далеко ему не уйти. О. вскидывает ружье играючи прицеливается спускает курок. Выстрел могучего стрелка поражает отца в ляжку он падает с мопеда зовет на помощь. Охваченные безумной паникой О. и Мария набрасываются на него. Прикладом ружья они до тех пор молотят беззащитного старика пока он не умирает. Залитое кровью тело они вдвоем оттаскивают на кукурузное поле где его только 9 дней спустя находят играющие дети.

Турóк пытается протиснуть обломок скалы в жерло зияющей пропасти но Хонкер уже на подходе. Пока Турок по-прежнему пытается подкатить камень к отверстию Хонкер готовится к нападению. Хонкер без особой подготовки начинает атаку а Турок еще отчаянно пытается втолкнуть огромный обломок скалы в пролом страшный рев говорит Туроку который как раз в этот момент отчаянно пытается втиснуть тяжелый скальный обломок в дыру что гигант Хонкер в данный момент переходит к нападению. Поскольку Турок по-прежнему не оставил надежды вкатить гигантский обломок скалы в зияющее жерло пропасти он просто не замечает что Хонкер в свою очередь переходит к нападению. А Хонкер этот самый примечает что Турок как раз увлечен гигантским куском скалы который он намеревается вкатить в зияющее жерло пропасти и молниеносно переходит к нападению. Хонкер неожиданно переходит к нападению тогда как Турок все еще отчаянно пытается протиснуть гигантский обломок скалы в отверстие. Отчаянные попытки Турока остановить Хонкера с помощью гигантского обломка скалы который он хочет протолкнуть в зияющее жерло пропасти терпят крах ведь Хонкер переходит в нападение. Турок который хочет протолкнуть гигантский обломок скалы в пролом подвергается нападению со стороны некоего Хонкера. Некий Хонкер нападает на Турока желающего протащить гигантский обломок скалы в зияющее жерло пропасти.

16. ОСЛЕПИТЕЛЬНО БЕЛЫЙ СВЕТ ЮЖНОГО

Ослепительно белый свет южного солнца разбивается о беленые стены в которых со стороны улицы нет ни одного окна это защита от зноя. Наша туристическая группа устремляется навстречу смеху крикам и гомону. Смех крики и гомон приводят нас на главную улицу где в разгаре большой разудалый праздник мы опять все вместе мы друзья опять все вместе. Но ядовитый шип торчащий из подошвы ботинка не упустит своей цели. Возле тира толпятся карликовые цыгане смех крики и гомон наполняют воздух как я уже говорила народ ломится разбирая турецкие сласти и лимонад. Лоток с пивом народные развлечения усиливают смех крики и гомон наполняющие воздух. Перед гигантским картонным плакатом стоит фотограф с фотоаппаратом прикрытым черной тряпицей. На плакате изображены фигуры а именно: человек в снегу Микки-Маус черный король шлягеров огромная дама с коброй ведущая викторины «Золотой выстрел» все они обрамляют центральную фигуру. А в центре религиозный глава этого летнего утра Белый Гигант лысый мужчина в мундире зуава с дюжиной гвоздей воткнутых в голову этого мученика так он и сфотографирован. Все фигуры больше человеческого роста и у каждой дырка вместо лица и еще чтобы различать мужчин и женщин у мужчин по одной дырке для лица и чтобы пол различить а у женщин две для грудей и по одной для лица и пола. Под смех крики и гомон людям предлагают раздеться догола и самим испытать картину для этого надо встать за плакатом и высунуть соответствующие части тела в соответствующие дырки. Если он или она не дотягивали по росту то один вскарабкивался на спину другому а расходы пополам. В большинстве случаев какой-нибудь близкий друг берет на себя непопулярную роль нижнего которая в свое время приводила Отто в такой восторг что он добровольно полдеревни пускал встать на свою голую задницу и как правило его конец оказывался много больше чем лицо над ним что давало обильный повод для смеха криков и гомона. Дороже всего стоил Белый Гигант только самые богатенькие крестьяне могли себе это позволить. Зачастую сразу трем членам семьи приходилось взбираться друг на друга удостоившись этой невиданной чести. Если присутствовал кто-нибудь из иноверцев то дырку для пениса из уважения к нему закрывали белой занавесочкой. Хельмут стоит перед святым образом на коленях. Его старая солдатская одежда вся в заплатах и дырах но главное что он снова дома! Солнце сплетает невидимый венок лучей над его волосами. Он не обращает никакого внимания на людей вокруг себя. Кайф.

Отто оставив остальных возле подъемника окольными путями миновав три дома в заднем ряду и один задний двор добрался до стены окружающей гостиницу чтобы встретиться со своими заказчиками и получить деньги. В конверте лежат фотографии на всех одно и то же начальник Гигант с честным лицом Отто и его неповторимым пенисом (поскольку сам Отто гигантского роста дырки ему вполне подходят). В заключение он трахнул еще двух молодых крестьянок которые вместе изображали пламенную испанку третью которая показывала нижнюю часть испанки ему оприходовать не удалось. Все было кончено пропала всякая надежда. Никакого наследства. Зачем он женился если у него даже сына не получается?

Короткий разбег и он прыгнул вверх ухватился за балку и с усилием подтянулся. Перед первой ступенькой была натянута на высоте примерно 7 см тоненькая черная проволока примитивное но действенное заграждение. Любой другой кроме Человека-летучеймыши не заметил бы ее и проходя мимо разорвал бы. Человек в маске перешагнул через проволоку & одолел лестницу. На разном расстоянии было натянуто еще 7 рядов проволоки он вовремя обнаружил их и старался к ним не прикасаться. Словно утопающий этот опытный охотник за преступниками пошатываясь идет к окну и устанавливает автомат таким образом чтобы в перекрестие прицела попала статуя это китайская шпионка которую он не раз видел на телеэкране в передачах про преступников. Только тут она выглядит гораздо моложе чем в телевизоре. Кайф. Элизабет бледная и невыспавшаяся сидит на носилках которые несут на себе четыре белых разукрашенных мула. Он видит как она шаг за шагом ускользает от него прекрасное ощущение что они с ней вдвоем с глазу на глаз исчезает да его никогда и не было он смотрит в прицел и ждет. Следом за статуей ползут что-то бормоча себе под нос одетые в черное старухи в шелковых платках идут маленькие девочки в длинных белых платьицах и с распущенными волосами локоны закручены винтом. Элизабет как он только теперь заметил вся полита белой сахарной глазурью умелые руки покрыли ее цветами из взбитых сливок в пастельных тонах. Украшение из леденцов у нее на голове возвышается на несколько метров из темного шоколада вылеплены волосы на голове и на лобке глаза и рот. Мулы отмахиваются от мух. Ковбой эта штука сегодня была что надо.

Ковбой тем временем вкалывает ему очередную дозу. Со зрением проблем нет спрашивает он. Пока еще остался легкий туманчик перед глазами. До утра это наверняка пройдет. В любом случае желаю вам приятного ночного отдыха. Соленый пот стекает у человека в маске со лба вот сейчас должен настать тот самый момент пальцы у него судорожно сжимаются.

Элизабет дрожит затем поднимается невероятное облако пудинга и не произнеся ни слова она исчезает. Одинокий мужчина у окна знает в чем состоит его долг но он не может этого сделать. Я не могу этого сделать говорит он. Я не в состоянии совершить это свинство. Пусть другие сделают это грязное дело за меня. Никто не имеет права требовать этого от меня. Ведь это моя родная сестра! Он невидящими глазами смотрит на процессию которая заворачивает за угол словно она всегда только и делала что извивалась и растягивалась.

Что же случилось если посмотреть на дело трезво? Если посмотреть на дело трезво не случилось абсолютно ничего. Вот так.

Пожилой гангстер держит в левой руке карманный фонарик а в правой короткую цепь соединенную с наручниками которыми скована молодая женщина лет двадцати. Лицо девушки распухло на нем потеки крови ее наверняка истязали. Одежда на ней разорвана в клочья и сквозь прорехи видно обнаженное тело. Два дня без воды сделают тебя посговорчивее говорит детина на АМЕРИКАНСКОМ английском. Впрочем у нас наготове и всякие другие средства чтобы воздействовать на упорствующих грешниц. Для замаскированного охотника за преступниками О. с его несравненными целями самым легким было бы выстрелить в цепь и освободить девушку. Но он дошел до крайности и нервы были на пределе. Ночь проведенная в ящике с африканскими термитами досадила ему больше чем он сам хотел это признать. Плохой охотник за гангстерами это мертвый охотник за гангстерами. В состоянии полного бессилия ему пришлось быть свидетелем того как Элизабет его Элизабет уходит навстречу своей ужасной судьбе (неописуемо ужасной судьбе). Что вы там такое бормочете себе под нос? спрашивает в то же мгновение нежный голос в котором однако слышны металлические нотки. Чапперль небрежно отвечает Отто военачальнику. Куда прикажете месье? Quai itali enne. Они поехали. Сзади прогремел взрыв. Что это испуганно спросил водитель такси. Не знаю ответил охотник за преступниками и безвольно откинулся на спинку сиденья. Что скажет главный узнав про его ошибку?

Проплывающее мимо облако быстро закрывает дырку у него в животе. Облако такой же величины как дырка. Агент которого тошнит при виде трубочки с кремом или пряничного сердечка никуда не годный агент О. это знал даже ковбой не мог его утешить а он так старался угощал шикарно и все такое.

Он зарылся лицом в мокрые подушки и заплакал да так что плечи у него тряслись заплакал так как не плакал со времен своего далекого детства.

КОРОЛЬ КНОККЕ КОЛОТИТ КРАСНЫХ КРАБОВ!

17. ЕЩЕ ЛУЧШЕ

Еще лучше чем облучение красным светом помогает кошачий мех на участках кожи покрытых этим мехом создается зона сухого теплого воздуха действие которой еще усиливается благодаря щекочущему эффекту кошачьих ворсинок.

В Танжере и Амштеттене живет много красивых девушек эти и другие люди два раза в неделю идут следом за мной в лес. Поэт леса в самой гуще леса который в какой-то мере очищает естественного человека. Это относится даже к туповатому Хельмуту.

На его глазах прошлое и будущее становятся настоящим в его руках сотни людей стали здоровыми. Отто завоевал международную известность. Он ведь лег на дно и лежал там почти год а теперь снова всплыл и зу-у-у-м! И теперь его дьявольский гений не знает границ не ведает угрызений совести более того теперь ему нужно все он хочет власти над миром.

18. ТЕСНЫЙ КРУГ

Тесный круг зрителей уже образовался вокруг этого места непробиваемая с виду стена состоящая из голов тел рук и ног. Ночь надвигается на них черная и грозная небо объятое ночной синевой небо как желток смешанный с молоком небо черная драгоценность небо мягкое и милое небо ведь в основном розовое говорит большинство людей. Белое от пудры лицо танцовщицы на канате отразилось в зрачках окружившей ее толпы вместе со своим спутником суровым метателем ножей в ковбойском наряде она перелезла через эту стену встала в заднем ряду и посмотрела туда. Хельмут быстро притормаживает вешает на плечо гитару проходит через тесный круг зрителей состоящий из голов тел рук и ног встает в задний ряд и смотрит туда. Офицер высокого ранга отрывает жирную задницу от скамьи бросает запачканную бумагу близоруко взмывает над головами зрителей и смотрит туда. Бэтмен потягивается с приятным ощущением собственного всесилия сажает на закорки Робина поднимается над стеной зрителей и из последнего ряда смотрит туда. Пасхальный Заяц проводит все выходные в своем летнем домике на озере Штарнбергер Зее. Ему осталась только одна вот эта последняя ночь с Ингеборг и нет больше ни радости ни счастья. На следующий день он отвезет девушку на вокзал поднимется над человеческой стеной из тел туловищ каши рук и ног встанет там и посмотрит туда. Человек-летучая-мышь выключает настольную лампу снимает очки кладет книгу на ночной столик поднимается над стеной останавливается и смотрит туда.

Шмяк и Супермен лежит на земле. В своих могучих ножках запутался. Пара отеческих рук заботливо подняла его. Супермен вместе с отеческими руками поднимается над головами телами руками и ногами собравшихся встает сзади и тоже смотрит туда. Милый скажи своему офицеру здрасьте. Белый Гигант протягивает своему начальнику хрупкое белокурое существо. Снова раздается взрыв хохота. Белый Гигант его начальник и его нижестоящий подчиненный поднимаются над людским сборищем встают в очередь позади всех и смотрят туда. Убитый солдат без всяких церемоний поднимается над всем этим и смотрит туда. Кинг-Конг протаскивает белую женщину через плотную стену людей сам прыгает следом и смотрит туда. Фрэнк Заппа что-то видит и что-то слышит он и то что он видит и слышит все вместе поднимаются над живой стеной спокойно занимают места в толпе и смотрят туда.

Сотрудник Ханс одним прыжком вырывается из царства острых как лезвие когтей и хищных зубов. Он отшвыривает свое антиполярное ружье и выдергивает из ножен нож-вибратор. Противники обрушиваются друг на друга в воздухе заставляя свои сердца сильнее биться упиваясь триумфом поднимаются над этой живой стеной из людей а не из предметов встают на ноги и смотрят туда.

Человек-летучая-мышь снимает с предохранителя свое оружие и почти неслышно скрывается за мощным стволом гигантского дерева. Улыбка пробегает по его лицу когда он замечает желтого недочеловека который пристроился на свисающей ветке дерева и наблюдает за ним. Он быстро расправляется с ним в битве один на один поднимается над стеной из тел туловищ месива рук и ног вытирает фартуком окровавленные руки и смотрит туда. Луси Наггет принимает мистера Наггета в своей розовой спальне но не подпускает его к себе а толкает его через стену из голов тел и месива человеческих рук и ног приказывает ему смотреть туда. Упругим шагом четверка битлз подходит к своим ружьям лежащим на земле поднимает их и затем отправляется за добычей. Они в один миг перепрыгивают через человеческую стену встают в строй и смотрят туда.

Через полчаса Отто выходит из ателье. С первого взгляда он сам себя в зеркале не узнаёт. У него теперь бородка парик который закрывает его собственные волосы наполовину и делает его на 20 лет старше. В таком вот виде он направляется прямиком сквозь толпу людей встает сзади и смотрит туда.

Все остальные поднимаются над этой человеческой стеной из мешанины рук и ног туловищ и тел и внимательно смотрят туда.

Наверное туда смотрят только страждущие больные пострадавшие от ударов судьбы спрашивает О.

Конечно никто и никоим образом ему не отвечает короче они все смотрят туда.

Залп грохочущим стаккато ударяет в живую стену из людей в головы тела животы мешанину рук и ног и бросает их ничком или навзничь на твердые доски пола. Власть имущие что-то говорили разинутые рты и вытаращенные глаза любопытных захлопнулись в один момент.

Вот и О. смотрит туда из самого последнего ряда из укрытия такой человек только однажды на свет рождается.

О. эта святая троица целиком & полностью потерял голову. Он порхает там и сям в этом месте и вырывает из снесенной человеческой стены из окоченевших ртов золотые пломбы. Они быстро находят общий язык друг с другом.

19. ЛЕНИВО (ЛЕНИВО)

Лениво избавиться от полосатого спортивного трико рукоятка там внизу ярко-желтая словно освещенная волшебной лампой яйца сияют лакированные подняться вверх вместе со свечой к мосту вместе с верхушками деревьев над розовыми пробками комедиантки из сухожилий & подъемной силы мышц добиться высокого положения. Холка жеребца над всасывающими головками феи колокольчиков из Гнезена снова сгребать сено спереди вновь раздирать на куски извилистую раненую древесину повторять упражнение на расслабление мышц перед вздыбленными чинами пудрить ванильным сахаром пудинг вскоре после этого умчаться посмотреть каково впечатление. Если обнаружится неухоженное заброшенное место в чьем-то сердце притронуться к можжевельнику дикому луку бузине может быть на турнике проявить себя как по-богемски тягучий подогреватель спереди снова сгребать сено прикрыть им извилистое дерьмовое дерево сделать передышку стоя на передних ногах расширить щель отпраздновать сгущение облачности & появиться на свет ночью крича крутиться в свернувшемся символе гордясь красивыми пестрыми одеждами. Сделать укол сзади все это называется: стойка на руках выполненная жонглером который стоит на жонглерше посреди чешской перголы.

Мужчины все вместе ищут выживших. Но ни одна из скошенных серпом голов не перенесла падения стены.

20. ГЕНИАЛЬНЫЙ ВРАЧ (ПРОДОЛЖЕНИЕ)

Гениальный врач ученый и гонщик рисковый испанец Мануэль Кортес-Мария-и-Мендоса который осуществлял смелые эксперименты на живых людях и в приступе ярости попытался под покровом ночи уничтожить миллионный город Амштеттен вынужден бежать. Но он клянется он человек который считался претендентом на Нобелевскую премию по медицине клянется я вернусь назад и невероятное происходит он действительно возвращается. Эсперанса безвольная рабыня его бессовестных желаний на пути в Рио-де-Жанейро заходит в гавань Лиссабона. Внезапно его как кипятком ошпаривает ибо девушка сказочной красоты (красоты) поднимается на борт девушка с такими же зелеными глазами цвета морской волны как у Дуни. Мануэль весь в напряжении кто она. Ее зовут Мария ей 19 лет медицинская сестра немка обручена с бразильцем путешествует одна. Доктор Мендоса врывается в ее каюту он говорит вы знаете меня из своих снов Мария и словно под воздействием демонической силы она отвечает да я знаю тебя.

Хельмут держит на ладони муху и отрывает ей сначала лапки потом крылья. На лице его отображается недовольство из-за того что празднование дня его рождения так рано оборвалось. Мушиное тельце барахтается в муках. Хельмут уже схватился за шляпу. Добрый день. Каюты труппы лилипутов построены в форме пчелиных сот. Каждый из этих перебродивших шестигранных карликов добивается вожделенных денег и разумных цен. Мануэль как почти всегда получает то что хочет. Родители тоже дают свое согласие. Он не хочет убивать но и позволить себя убить он тоже не хочет.

Худосочный подмастерье сантехника Эммануэль сонно онанирует повернувшись к совершенно потемневшей от дождя стене по которой тонкими ручейками стекает вода там где просмоленный картон немного отходит от стены скапливается слизь. На нем ботинки доставшиеся от старшего брата и блуза его сестры которая спереди вся истерлась. Его отец с годами опять превратился в совершенного ребенка. Его постоянная отговорка я дитя военного времени нам пришлось хуже наше поколение было заранее приговорено к поражению. Он много читает. Хельмут не решается поднять глаза на девушку смущается но от радости прямо вертится волчком. Тут он несмотря на свои 16 лет прыгает на колени к великану-отцу и гладит его млея от благодарности. Пожилой болезненного вида господин с плеткой из бегемотовой кожи в руках говорил Эммануэлю про какой-то автомобиль вартбург и спрашивал парень ты хочешь стать врачом учиться медицине да ответил Эммануэль спаситель который появился на свет в рождественскую ночь в снегах тирольских Альп гениальный врач и ученый демон-искуситель и мечта всех женщин.

Звуки просыпающегося корабля уже начали долетать до его ушей пот катился у него по спине зудящая сыпь покрыла все его тело. Мария как всегда по утрам тычет пальцем в его расчесы Эммануэль выглядит чудовищно. Наверняка она проткнула дыру в костюме вырвавшийся наружу водород смешался с кислородом воздуха и получился гремучий газ который в свою очередь взорвался от огонька сигареты. Мануэль теперь не что иное как живая дыра с мишурными волосами. Хорошо одетые танцоры из-за этого оптического обмана беззвучно срываются в отвратительный кратер который ведет глубоко во внутренности Мануэля где Мария улыбается далекой недоверчивой мечтательной улыбкой человека который находится в гипнотическом плену у другого дезинфицирует вены на руках и впрыскивает всем дьявольский наркотик ЛСТ который лишает пациентов воли и превращает их в орудие сатаны в человеческом обличье.

Я создал шестигранного лилипута так что человек в форме кольца у меня тоже получится специально для этого тура мне сейчас так хочется окружить себя СПУТНИКОМ хрипло шепчет Мануэль в экстазе.

Вот это да милый добрый Белый Гигант преодолел смущение в которое его поверг Хельмут своим равнодушием. Он гладит своего любимчика по курчавым белокурым волосам проводит рукой по его разгоряченному лбу и вручает ему большой пакет с гранатами шрапнелью и огнеметами для его желтых друзей.

Новое утро шествовало по кораблю солнце подобно пурпурному мячу поднималось из океана. Он чувствовал как горяча эта узкая рука как сильно бьется пульс под кожей он наклонился перевернул ее руку и поцеловал нежную ладонь.

Объемистый пакет Хельмута набитый оружием выманил из резерва униформистов под предводительством Пасхального Зайца. Однако среди невероятного грохота криков и воплей и летающего огня слышно как хлопнул в ладоши Белый Гигант: пора надевать крылатую обувь и вперед к новым свершениям на борьбу против всемирного зла. В медленном вальсе все мельтеша уплывают прочь.

Ты должен взять себя в руки приказывает себе Эммануэль ты должен сохранять ледяное спокойствие если хочешь завоевать власть над миром. По коридорчику между каютами словно кольца Сатурна катятся к нему обручи по имени Дуня Ингеборг Робин Кинг-Конг Бэтмен и многие другие среди них и Отто Летучая Мышь у которого и без того навалом проблем насчет своей внешности. Сквозь мужские кольца он прыгает с цирковой ловкостью подобно тигру прыгающему сквозь огненные обручи но в женщинах он своим шлейфом целенаправленно просверливает глубокую дыру через которую протягивает веревку для того чтобы хранить этих несчастных у себя в каюте в прохладе & сухости. Все должно быть так как будто трахаешь спасательный круг постоянно думает он. Таким образом судно теперь практически в его руках.

А теперь посмотрим как у вас хвастунов получится раздавить западный мир. И на эту попытку захватить власть я тоже хочу посмотреть шипит Хельмут который внезапно оказывается совсем другим. Он теперь генерал-майор СС. В руке у него появляется браунинг. Дуло нацелено на Нью-Йорк.

Поскольку лилипуты со всеми своими шестью гранями и углами согласно закону природы катятся медленнее чем круглые человеческие рабы то последние их вскоре нагоняют привлекают к ответственности переезжают через них и таким образом закатывают до смерти. На каждого слабого всегда найдется слабейший ведь в жизни всегда так бывает.

Эммануэль онанирует стоя лицом к мокрой стене в тирольском хлеву в руке у него фотография сестры Хельмут он плачет от сострадания ко всем тварям земным. Базовое вещество для дьявольского наркотика ЛСТ это теплый столярный клей итак Мануэль опять меняет веру. Мать лупила его по заднице по лицу и по икрам. В южной части кольца Нюрбурга болиды в казалось бы совершенно безобидной ситуации столкнулись и тут же загорелись густой дым скрыл ужасающее зрелище от взоров наблюдателей аварийные сирены выли огнетушители изрыгали пену без передышки Мария которая ощущала внутри себя движение новой зародившейся жизни без слез опустилась на землю и отдалась англичанину со штыком в руках который поддавшись всеобщему возбуждению надругался над ней. Ребенок появился на свет раньше положенного срока и был наречен Отто который через много лет на лайнере по имени Эсперанса во время путешествия из Европы в Бразилию превратил англичанина в священное видение Иосифа-восприемника.

Ты опять включил воду в ванной ради своих экспериментов над живыми людьми ты дьявол гениальный хирург и демон шепчет Дуня вися на стене. Она являет собой кольцо вкусной колбасы и через каждые 15 см перевязана веревочкой. Аналогичные соображения высказывают и другие вырывая Мануэля из его задумчивости. Ярость внезапно вскипает в нем туманит взор у него темнеет в глазах. Хельмут молча слушает как великая троица Бэтмен Супермен Робин делится перехлестывающими через край тайнами перекрикивая друг друга. Сам он совершенно спокоен.

Мануэль ударяет сжатым кулаком по бумаге комкает ее. Проклятая радиограмма! Кто за всем этим стоит. Неужели кто-то догадывается о моих планах? Нет этого не может быть. Пустите меня к нему кричит Мария ее беременный живот не воспринял ничего от того невинного облучения которое околдовало Мануэля он мой муж. В этот момент Грэм Хилл подъезжает к боксам Дэнис Халм выходит на первое место в этом классе машин в гонках Формулы-1.

У меня болит поясница говорит Дуня со стены. Ты гениальный демон врач и преступник ты используешь живых людей для своих экспериментов. Кровь лилипутов льется сквозь все люки двери и отверстия. Но сегодня она знает что это было лишь проявлением благодарности которую она испытывала к этому демоническому доктору в те дни после операции (см. том 748 с. 74—84).

В этот момент словно какая-то невидимая рука срывает с крюка одну из труб подачи пара и она отсоединяется. Пронзительный свистящий звук. И тут же струя кипящей воды толщиной в руку ударяет прямо в Дуню которая колбаской катится по мягкому покрытому коврами полу каюты. Она вскрикивает пытается отскочить в сторону кричит душераздирающе потому что повернуть она теперь никак не может и катится прямо навстречу СТРУЕ-УБИЙЦЕ.

Когда юная пара Мануэль и Мария сидя за ужином поглощает вечерние колбаски с горчицей муж внезапно вскрикивает ощутив на зубах что-то твердое восемь тупых полноценных пуль калибра 7,65 мм. Медная оболочка и свинцовая начинка. Чудовищной пробивной силы. Если этот день был уже столь богат событиями способными бросить тень на их совместную жизнь то как же будет тогда выглядеть день грядущий!

И наконец однажды утром в свинцовых душных сумерках его глазам является чудо: фольксваген из Амштеттена!

21. МОЛОДОЙ ДИПЛОМАТ

Молодой дипломат узнал патент с первого взгляда. Речь шла о потайном помещении под наземным гаражом. Спортивный автомобиль стоял на подъемной площадке полностью уходящей в пол подвала. При необходимости приводился в действие гидравлический пресс и машина поднималась наверх. Но пространство над этой секретной площадкой обязательно должно было быть свободным чтобы можно было поднять скрывающие подвальное помещение решетки. Однако в данный момент на этом месте стоял многотонный дизельный грузовик. На крыше ядовито-зеленой щегольской спортивной тачки был багажник. Привяжите парня туда наверх крикнул Чингисхан который спустился по лестнице вниз. Гориллы играючи словно куклу закинули Штефена на крышу спортивной машины и накрепко привязали к дугам багажника. А теперь там наверху положите на решетку щит приказал хан чтобы мистеру шпиону ни одна капелька масла с грузовика в глаза не попала. Какая забота о человеке. Чингисхан обо всем умудряется подумать.

Альпийский экспресс грохочет на повороте дороги воскресные отдыхающие решившиеся на веселую прогулку в надежде укрыться от городского зноя стоят тесно прижатые друг к другу это великое братание отцы и сыновья женщины и дети и пожилые люди заплечные мешки полны деревенского мяса кувшины полны ягод пластиковые сумки полны грибов Хельмут не выходит у них из головы нательное белье полно насекомых влагалища полны семени лесорубов штаны полны усталости но это приятная освежающая усталость в радостном предвкушении очередной рабочей недели в Вене. Чистенькая квартирка уже ждет их со всеми приятностями современного доступного всем достатка ради этого они работают ради этого экономят и в этом смысл их жизни. Приведем пример:

Все то тяжелое что принесли с собой последние годы не идет ни в какое сравнение с обворожительной юной улыбкой Хельмута. Уж юность как-нибудь одолеет тяжелые времена ей принадлежит будущее. И надо надеяться светлое! Скоро в мальчишеской комнате Хельмута воцарятся серьезность и труд. Склонность к развлечениям внезапно покидает его. Дети мне кажется вам в понедельник предстоит снайперская стрельба и вы хотели все вместе потренироваться. Надув румяные щеки блестя глазами от возбуждения друзья принимаются за дело. И вскоре свежий ветер уже свистит у них в ушах.

Последняя пуля нравится жертвам больше чем целый вкусный пирог. Когда-то встречались отдельные жертвы а сейчас их больше нет.

На бойне Дуне веревками растягивают в стороны руки и ноги человек человеку волк работники начинают потрошить ее и снимать кожу.

От мастурбации под глазами у Эммануэля появляются черные круги он выглядит рано состарившимся испорченным отжившим свое отстраненным больным. Может быть ты слишком много работаешь детка? Ты знаешь нам нужен холодильник чтобы бабушка Дуня у нас оставалась свеженькой говорит вечером мать Мануэля. Нет мама у меня просто понос. Взобравшись на маркизу мясной лавки Элизабет показывает проверенные трюки задирая юбку и джемпер и разбрызгивая капли. Если кому-то из прохожих станет интересно откуда такой дождик он поднимет голову и увидит женщину впечатляющей притягательной силы которая словно паря в воздухе одними коленками без помощи рук выжимает целый неочищенный лимон. С этим фокусом она и выступала раньше в одной кофейне это была ее работа пока не явилась конкурентка которая делала то же самое и за те же деньги но только при помощи влагалища и тогда Элизабет конечно вылетела из обоймы современной деловой жизни.

Ликованию не было конца. Запах от ног пот всё полным ходом. Серебряная лунная дорожка блестит на поверхности озера. Огни пляшут на воде. Эммануэль заходит в пивную намереваясь продать сигареты с гашишем молодым рабочим. Но те хотят только танцевать и напиваться как свиньи. На большее у них не хватает. Какая-то вдова обстоятельно достает из своего летнего платья подмышники ждет когда они обтекут выжимает их и отдает подержать Эммануэлю но тот все по-прежнему теребит свой пенис приятное чувство а другого он и не знает с тех пор как достиг совершеннолетия. Перед девушками он робеет немеет и тупеет. Один пакет на голове другой в зубах за ушами сигареты руки полные между ног прикреплена ноша плечи и спина сгибаются под тяжестью груза Эммануэль и распрямиться-то не может.

Вскоре веселая компания в полдюжины друзей Хельмута с заряженными ружьями и прищуренным глазом сидит перед живыми мишенями. Но у некоторых из них веселость испаряется очень быстро. Ни один из нас детка из избранных не в состоянии хотя бы секунду постоять спокойно. И ты не можешь. Ну что джентльмен говорит хан обращаясь к светловолосому рослому молодому дипломату со спортивной фигурой который бесстрашно смотрит ему в глаза. Я мог бы для пущей надежности загнать пулю тебе в голову но тогда все произойдет слишком уж быстро у меня есть другое надежное средство гидравлический пресс я включу самую медленную скорость и тогда останется четверть часа до того момента когда тебя прижмет к решетке. Чингисхан подходит к электропульту опускает рычаг и нажимает на красную кнопку. Положение рычага определяет скорость с которой гидравлический пресс поднимает вверх площадку со спортивным ягуаром. Тихое гудение свидетельствует о том что насос работает. Штефен лежит на спине и поворачивает голову к Чингисхану который с сатанинской улыбкой выключает свет и покидает подземный гараж. Хлопает дверь этот парень так уверен в себе что даже не потрудился запереть ее Штефена радовало только то что ему не нужно было больше смотреть на этого узкоглазого отморозка.

Любительский оркестр Шуберта репетирует под аркадами Эммануэль который в этот момент тащится мимо выглядит как тень того веселого полнокровного скромного парня каким он был когда только поступил сюда подмастерьем он подходит поближе к дирижеру с неутолимой тоской в глазах. Дело в том что у Эммануэля большие способности к музыке. Элизабет девчонка с окраины бесшумно едет мимо на американском лимузине весело смеясь. Благородный изысканный джентльмен зажимает ей рот своей волосатой лапой и таким образом гасит всякий шум она несколько раз слабо дергается потом стихает тоже. Жена богатого фабриканта много раз в день моет все свои интимные места она все время чувствует себя немножко грязной.

Когда Элизабет понимает что дело приняло серьезный оборот уже слишком поздно. Тетка Эммануэля вдова примеряет зимнее пальто с черно-белым рисунком и нейлоновым меховым воротником в универмаге в отделе дамской одежды. На случай примерки она уже всунула в платье свежие подмышники перед нею на подставке стоит металлическая линейка с делениями и с бегунком который можно передвигать вверх и вниз и отмечать кусок этой идиотской линейки. Она предназначена для того чтобы обмерять длину пальто платьев и костюмов иначе мы бы так подробно это не описывали. С помощью этой линейки можно регулировать длину подола отмерив одинаковое расстояние от края подола до земли со всех сторон.

Тетка Эммануэля носит подмышники в любое время года даже зимой и раздаривает пропитанные потом кусочки ткани любым прохожим мужского пола всех возрастных категорий. Однажды она по ошибке подарила такой вот подмышник своему собственному племяннику который выглядит так плохо потому что слишком часто занимается самоудовлетворением так что тут она попала в точку. Некоторые считают Мануэля скорее животным чем человеком в любом случае он творение Божье.

Встревоженная мать пичкает Мануэля средствами от поноса и добивается такой передозировки что вскоре бедный юноша в предсмертных муках да к тому же с вывихнутыми или даже переломанными пальцами правой руки попадает в больницу. Его тетка та самая у которой подмышники выходит из универмага с новым зимним пальто в руках которое однако почему-то сильно топорщится сзади что же случилось?

Толстый белый бархатный ковер накрыл улицы и площади. Дома выглядывали из-под белых остроконечных шапок. Тяжело ступая Хельмут тащит лыжи к вокзалу. Раннее утро. Чингисхан со своими желтыми дьяволами со своей желтой опасностью который собирался уничтожить молодого тайного агента с помощью столь же гениального сколь чудовищного плана в подземном гараже под универмагом на улице Марияхильферштрасе по причине отсутствия компетентного технического консультанта из Соединенных Штатов допускает оплошность и по ошибке просверливает несколько опор высотной новостройки что вызывает крен пола всего первого этажа именно в тот момент когда тетке Эммануэля выравнивали подол зимнего пальто сзади вот откуда этот недосмотр однозначно свидетельствующий о саботаже.

Зной звенел над улицами когда кадиллак забирался по серпантину все выше и выше. На заднем сиденье Ли Эггмейкер изо всех сил старалась отбиться от приставучего промышленника мне пора возвращаться в прачечную говорила она начальница будет меня ругать кроме всего прочего эта дочь китайского туриста и полусветской венки уговорилась вечером встретиться в бит-кафе с одним подмастерьем по имени Эммануэль который наконец-то решился на свидание с нормальной девушкой.

И в то же мгновение магнат услышал свистящий звук он рванулся вправо но удар все-таки настиг его удар пришелся в левое ухо и левое плечо боль со скоростью света пронзила все тело на несколько секунд он замер как парализованный ноги потеряли всякую чувствительность и он рухнул как подкошенный вправо лицом прямо в мягкий ворсистый ковер лобок Ли.

Эта девушка воспринимает часы упражнений всегда со смесью радости страха и сопротивления.

Снег валит и валит настоящий нацистский снег с неба падает все подряд. Крупные толстые клочья ваты маленькие серебряные звездочки потом большое белое облако пудры все скручивается в снежный вихрь и наконец снег снова падает тихо и бесконечно равномерно и нежно. Хельмут начал восхождение на гору.

Двигатель машины безупречно работает на холостых приступ неудержимого кашля сотрясает тело Штефена миллиметр за миллиметром приближался он к собственной гибели но все же ему удалось высвободить ноги из пут ледяной ужас пронизал агента и дипломата коленной чашечкой он прикасался к железной решетке значит расстояние до смерти составляло не более 15 см.

В этот вечер мнение пятнадцатилетнего Эммануэля о женщинах и обо всем связанном с ними получает очередной и если учесть его и без того неустойчивое к ним отношение почти окончательный удар: Ли в кафе не пришла. Второй подмышник его тетки за время долгого ожидания высох Эммануэль бережно смочил его под краном чтобы сохранить запах. В последнее время он пытается внушить своему ровеснику и сотоварищу Отто свои собственные взгляды на религию церковь политику мораль общественный строй школу и всю систему и в ходе зачастую очень долгих бесед соблазнить его. Но Отто предпочитает собирать почтовые марки. Как в такой стране где даже интеллектуалы пальцем не соизволят пошевелить как можно здесь внести революцию в ряды рабочего класса говорит он.

(Как мобилизовать рабочих в стране где даже интеллектуалы не поняли необходимость революции?) Агент еще раз рванулся напрягая все свои силы и на этот раз ему удалось освободиться перекладина к которой были привязаны ремни сломалась он был свободен (свободен) железная решетка уже касалась его лба из последних сил он подполз к краю крыши дернулся вниз и с неописуемой высоты полетел на землю.

Элизабет по пути домой одаривает улыбкой едва знакомого ей ученика Эмануэля (15) потому что принимает его бросающийся в глаза ужасный вид и серый цвет лица за признаки болезни. Юноша сразу подходит к ней с грязной руганью называет ее препятствием на пути всеобщего прогресса и благосостояния а потом тискает ее прямо на тротуаре.

В эту пору в городе вообще повсюду царит гнетущая атмосфера нервозный раздраженный настрой затишье ночь перед долгожданным восстанием масс. Эмануэль с ними заодно но как всегда на один гигантский шаг впереди.

Да и Хельмут как раз в этот момент делает последний шаг к вершине.

22. ЦВЕТЫ ВО ВРЕМЯ ОВАЦИЙ

Цветы во время оваций глядя на маленького Хейнтье никак не скажешь что он уже суперзвезда шлягерного шоу-бизнеса. На сегодня его первая большая пластинка уже разошлась тиражом 650 000 экземпляров. В хит-парадах Хейнтье составляет конкуренцию даже Beatles. При этом он настоящий воскресный певец потому что с понедельника по субботу одиннадцатилетняя звезда прилежно ходит в школу. Парнишка живет в маленьком местечке Блейерхейде на голландско-немецкой границе. Еще два года назад он никаких развлечений кроме футбола не знал. Потом впервые в жизни увидел музыкальный автомат и вдруг выяснилось что каждую песню он может спеть и сам. Вот так и раскрылся его природный талант.

Свет начал меняться. Красноватые оттенки быстро ускользали и через несколько секунд повсюду распространилось молочное сияние с желтовато-белыми бликами. Фрэнку Заппа стало казаться что обзор сделался лучше но границы того помещения в котором они находились он по-прежнему никак не мог определить.

23. ПОЛНАЯ НЕНАВИСТИ

Полная ненависти она рассматривала себя в зеркало все тело по-прежнему плоское бедра узкие ну сколько же в конце концов еще ждать. Вырезать анкетки с пожеланиями и показать матери а если у нее никаких конкретных пожеланий нет самой поставить крестик. Чему она обрадуется больше всего. Такой вот микроволновый гриль мне давно хотелось чтобы почаще ставить на стол что-нибудь эдакое изысканное на гриле да без жира полезно для здоровья. Персидские турецкие греческие ливанские гномики распространители гашиша снуют по мрачному пассажу возле оперы с криками проносятся мимо благовоспитанных старшеклассниц а как только почуют удачу тут же прыгают на подножку и крепко держатся и выглядит это так: первый показывает второму пасхального зайца а тот передает его дальше. Когда пасхальный заяц проходит таким вот образом уже через пятые руки шестой достает своего санта-клауса и показывает его следующему. Точно так же поступают с весной сединой матери папой-римским зелеными чертями. Таким путем образовались горы пасхальных зайцев санта-клаусов седых волос пап римских зеленых чертей. Мехико мечта миллионов!

Третий толчок оказался еще мощнее чем два предыдущих. Туроку пришлось уцепиться за скалу чтобы не потерять равновесие. Трещина в земле в ладонь шириной образовалась прямо у него под ногами. Столб каменной пыли поднялся в воздух и на несколько секунд затмил всё вокруг.

С грохотом Хонкер отрывается от Турока.

Уникальная сцена с Конни и Рексом: Конни на кровати в широкой цветастой подростковой юбке:

я ведь девушка. Рекс демонстрируя красивое серьезное мужественное лицо молча смотрит на нее а потом мимолетная улыбка пробегает по его губам тем лучше значит я могу тебя поцеловать. Они целуются задушевно и довольно долго. Рекс нежно отодвигает Конни от себя уходи Конни будет лучше для нас обоих (будет лучше) если ты сейчас уйдешь. Конни отважно кивает подчиняется доводам рассудка и выходит из комнаты. Ее веселая подростковая юбка летит за ней следом Рекс еще долго в задумчивости смотрит на закрывшуюся дверь а Конни уже и след простыл. Это был красивый (красивый) фильм много музыки и много звезд.

В спринтерском темпе олимпийского бегуна Бен Чандер мчится по 20-метровому коридору к лестнице дверь приотворена он локтем открывает ее и врывается в комнату. Между кроватью и дверью в ванную ничком лежит блондинка в тесном домашнем костюме из небесно-голубого китайского шелка подвернув правую ногу под себя пальцы левой руки вцепились в изящный дамский револьвер. Ингеборг разумеется обещала наконец-то заняться в Хайдельберге изучением языков но судя по всему опять пала жертвой своей пагубной склонности (см. ил. справа). За 12 дней ваши зубы станут точно такими же какими их создала природа. Да конечно натуральный цвет ваших зубов белый. Только эта белизна сейчас покрыта налетом. Шершавым налетом который от еды питья и курения все больше и больше темнеет. Пепсодент с медицински выверенной косметически эффективной композицией реагентов эль-дэ-три удаляет этот непривлекательный налет в течение 12 дней. И при дальнейшем ежедневном уходе за зубами с помощью пепсодента эль-дэ-три ваши зубы сохранят свою натуральную белизну.

Натуральная белизна зубов всегда производит приятное впечатление.

Молодой полисмен Фриш из школы полиции смотрит на Отто прищуренными глазами дуло револьвера слегка дрожит. На ящике для цветов у Хельмута за окном громоздится сугроб снега. Через эту высокую гору Хельмут вряд ли сможет утром подмигнуть своим друзьям этой резвой молодежи.

В одном из последних изданий вы опубликовали любовную историю Омара Шарифа. А вы не могли бы роман в картинках выпустить. Это было бы просто прекрасно. Даже не представляете себе как вы обрадуете этим меня и других поклонников Омара Шарифа. И не надо никаких вестернов и фильмов про войну. Я их не перевариваю.

Из-под шапки белокурых кудрей Бен невидящим взором смотрит в иллюминатор на обычную рабочую суету на мысе Кеннеди. Два рослых белокурых главных инженера в военной форме занимаются вводом в эксплуатацию нового чудо-оружия США. Это подмышники. Речь идет об обычных подмышниках какие за гроши приобретает себе каждая домохозяйка но только доработанных. Каждый подмышник пропитан дьявольским наркотиком ЛСТ и предназначен для азиатского рынка где большой спрос на подмышники из-за жаркого климата. Если их носить как обычно то никаких вредных побочных явлений не наблюдается но если к подмышнику прикоснется своим членом мужчина то у него немедленно наступает бесплодие. Так штатовские боссы хотят наконец-то побороть самую страшную из современных угроз угрозу перенаселения планеты & начать именно с самых отсталых регионов нашей земли.

Только Хельмут остается еще на некоторое время и это излечивает его от страданий потому что теперь он снова лучший друг Отмара.

Бен прижимает к груди бутылочку с серебристой жидкостью столь безобидно выглядящим и столь чудовищно действующим наркотиком. Зачем ему гениальному врачу ученому и демону это знание о том что у него в руках ключ к подчинению и порабощению всего Востока если его Ингеборг для которой он все это совершал не может разделить с ним его триумф. Он корчится в судорогах внутренне и внешне. Да из этого ничего не выйдет господин Хельмут лентяй слышится из-за двери и в комнату входит ОТЕЦ с раскрасневшимся от мороза лицом. Одна обязанность не должна затмевать собой другую.

В тот же час явился пасхальный заяц. В тот же час санта-клаус попал к нему в подчинение. В тот же час второй раз пришел пасхальный заяц. В тот же час третий раз пришел пасхальный заяц. В тот же час четвертый раз пришел пасхальный заяц. В тот же час пятый раз пришел пасхальный заяц. В тот же час аж шестой раз пришел пасхальный заяц. В тот же час седьмой раз пришел пасхальный заяц. В тот же час восьмой раз пришел пасхальный заяц. В тот же час девятый раз пришел пасхальный заяц. В тот же час десятый раз пришел пасхальный заяц & привел с собой Белого Гиганта. В тот же час Белый Гигант прискакал и прибежал. Пасхальный заяц & Белый Гигант его подручный принесли для ВАС весть милостивая госпожа: позаботьтесь о том чтобы ваши дети по возможности меняли белье потому что в свежем белье человек лучше себя чувствует лучший отдых это отпуск проведенный на природе потому что там в воздухе

84

значительно больше кислорода вы что собираетесь вместе с детьми провести весь отпуск в мегаполисе? Нет. Услышав о том что все больше женщин выбирает пасхального зайца с его придатком в виде Белого Гиганта вы полагаете что причиной тому кислород? А не лучше ли разок попробовать засунуть Элизабет пасхального зайца Белого Гиганта в барабан стиральной машины? Пасхальный заяц & Белый Гигант предупреждают только ОДИН РАЗ!

24. ЭТОТ ОТТО

Этот Отто парень хоть куда вот послушайте. Женщина которой сейчас 42 года брюнетка бледная некрасивая & неухоженная выглядит совсем не так чтобы у нее получилось завлечь мужчину на 20 лет младше. & тем не менее так оно и было. Загадку той ночи отчаяния на Виа Банчи Веккья наверное сможет разгадать суд а вот загадку насчет отношений Отто с ее амантом с ее любовником точно никто не разгадает. А между тем он сделался новым телелюбимчиком. Он прорывается к двери говорит я королева красоты я пилот-орел и ДЕЛАЕТ ЭТО. Сначала 2 пожарные машины за ними друзья и он во главе всех как всегда на своем мопеде у сотен тысяч телезрителей в последние дни новый любимчик он не суперагент и не фокусник. Все вместе взятое оборачивается грандиозной гонкой преследования в стиле старых дешевых комедий. Далеко на заднем плане растет до неба столб голубого огня.

Перед вами история нелегких блужданий человеческих сердец стареющая женщина & цветущий юноша кровь с молоком влюбляются друг в друга & все заканчивается нищетой и отчаянием и в финале остается только один выход смерть в мансарде. Любовь вернула Отто его красоту он часами бродил по лугам вдоль реки по пояс тонул в шелестящей листве рвал цветы сидел на косогоре слушая пение цикад под черемухой а потом вновь затягивал потуже рюкзак и вперед вслед за солнцем. Будет ли в нашем повествовании невеста в белом. Мы точно не знаем. Пока Отто смотрит на нее ему вдруг становится ясно что когда горы начинают качаться то это вовсе не оптический эффект. Горы действительно качаются! Он видит как у них отламываются вершины и поднимая грандиозные столбы пыли скатываются вниз по отвесным склонам.

Отто из Штутгарта рослый красивый как картинка белокурый голубоглазый паренек еще в юные годы в Германии женился на милой девчоночке примерно одних с ним лет и тоже белокурой & светлоглазой как и он. Но счастье их было недолгим. Представитель агент продавец яда (ковбой) где-то познакомился и слюбился с медсестрой по имени Отто. Уроженкой Граца. Она живет в вечном городе и уже давно забросила свою профессию. В маленькой каморке под крышей откуда открывается безутешный вид на грязные задние дворы она ухаживает за домашними животными. Их влечет друг к другу не только сходство имен но и любовь между белым & черным в асфальтовых джунглях миллионного города огни которого сулят смерть им обоим. Но займемся лучше недорослем Отто. На тот момент когда австрийка знакомится с 18-летним Отто ей самой уже 38 лет она устала потрепана жизнью & ее облик говорит что она здесь чужая одинокая женщина цепляется за молодого мужчину который ее понимает. All the lonely people where do they all come from? Когда его звонкий голосок подобно флейте звучит вот так в беспросветную рань его радостная песнь лают собаки пение прорывается сквозь мглу роса и так далее. Скорей всего именно Отто первым предложил вслух лучше всего если мы умрем вместе если ты меня действительно любишь то ты поможешь мне умереть что-то вроде этого он наверное сказал. Бывшая медсестра должна в конце концов знать как делаются такие вещи это вам не пироги печь. Нет он видит как со всех сторон разверзаются бездонные пропасти а скаль-

ные стены рассыпаются и камнепадом скатываются вниз в туче пыли. Все горы приходят в движение. Исключительно от ярости голубого огня.

Она является сыном убитого президента который пал жертвой грандиозной злобной интриги
так что ей никогда не суждено стать такой как другие дети ее возраста и она рано слишком рано со-
образит что именно там где много света совсем
вплотную лежит самая глубокая тень. Как только
она вступает в темную прихожую и видит там Белого Гиганта в штатском ей сразу становится все
ясно. Но иногда и эту духовно стойкую амазонку
посещают сомнения и угрызения совести. Милень-
кий дедуленька желаем тебе на твое 93-летие здоровья и быстрой поправки после глазной операции
твоя внучка а также Эрвин и Эди твои дети Грелли
Сепль и Отто ну и прежде всего конечно правнуч-
ка и наконец самая счастливая из всех твоя бабу-
лечка Леннерль. В следующий раз мы прицелимся
получше дорогой дедушка.

У-у-у разочарованно гудит Хельмут и его круглое лицо вытягивается. А я-то уже так обрадовал-
ся что резня будет и разные убийства.

С одной стороны Отто прав говоря такие слова
с другой стороны может статься что этот мужчина
несмотря на брак в стиле Иосифа милый открытый
человек и что с возрастом на этой базе возникает
искреннее сердечное содружество когда в угоду
другому ты подавляешь собственные настроения
и жалобы и ощущаешь если и не такое уж страст-
ное обожание то все же отсутствие одиночества.
Этого счастья нашей парочке не довелось узнать
никогда. Такой лихой парень & уже кретин болван
тупица простофиля говорит большинство людей. Но
если бы они знали что все услышанное ими про его

мощный конец основывается на мнении альтруист-ки убийцы по желанию женщины которая не может насытиться одной только любовью (и голубым небом тоже нет) тогда они были бы поосторожнее со своими поношениями. Сейчас у меня больше нет времени к тому же ужасно поздно. Хельмуту хочется вскочить и убежать куда глаза глядят. Ты сейчас же наденешь теплые штаны Хельмут! Это был знаменитый тон отца который не терпел возражений. Он был очень сердит. Парень с поджатым хвостом подползает к холодильнику.

& происходит нечто совершенно непостижимое Отто оставляет очаровательную молодую женщину на которой только что женился чтобы соединиться с медсестрой Отто. Его никто не заставляет он по уши влюблен в подругу которая на 20 лет старше его. Четыре года живет он вместе с черноволосой цыганистой бывшей медсестрой как отметило окружение странной парочки брюзги и сплетники качая головами.

Хельмут они же здесь. Друг Отмар приносит господину Развратнику который как раз собирался ускользнуть потерянные яйца одно теплей другого. Мне придется их еще почистить они все в грязи. Оба дурачатся и устроив дикие игры начинают бешено кувыркаться. Между тем оба лишь внешне являют собой противоположности внутренне они очень похожи. Два умника два уклониста от общественного порядка нашли друг друга оба несдержанны оба неспособны ощутить защищенность в надежном обеспечении существования оба искатели приключений. Сэйз любимый ребенок Хельмута который подворачивается ему под руку в спешке получает пинок и с воем уползает в надежный дальний угол. А этого проказника Хельмута придется проучить Отмар приводит свои розги в боевую готовность.

В Леобене проживает некая госпожа Регер. Она выросла в деревне долгое время жила у крестьян & уже выйдя замуж она не может обойтись без деревни и каждое лето проводит на природе.

Волшебная игра с солнцем и тенью. Использовать каждый солнечный лучик с упоением принимать солнечные ванны быстро & спортивно загорать и ощущать при этом что кожа остается молодой упругой & шелковистой сохраняет свою ухоженность неповторимость пробуждает симпатию.

Однажды Отто приходит домой раньше времени & испуганно убеждается в том что Отто в своей комнате не в одиночестве. Негромкие шорохи за плотно закрытой дверью заставляют Отто залиться краской стыда. Ну как будет вести себя мать в таком случае. Перед ней стоит девчушка не старше 20 лет на ней только трусики и лифчик длинные спутанные волосы лезут в глаза.

Красота которую создает любовь делает красивее любимые черты озаренные любовью даже безобразные черты украшает любовь сердце полное любви умирая посмотреть с любовью за брызжущими ненавистью глазами уловить отблеск прежней любви любовь не что иное как скрытая любовь за внезапно вновь вспыхнувшими сквозь слезы глазами в огрубевших чертах некогда прекрасного лица искать следы прежней любви только любовь оставила свои глубокие морщинистые следы на улыбающемся лице старухи а вовсе не лишения пороки и горечь. Хельмут неистовствует в любовном опьянении.

На твой 82-й день рождения когда судьба вырвала у тебя из рук твою супругу Эмилию в это трудное время желает тебе всего наилучшего в будущем и выше держать голову твой брат Рольф. Скоро настанет и твоя очередь. Ты следующий.

С тем транспортом который использует Отто на работе легко управляется ученик машиниста но он все равно решает вскоре сдать на водительские права. Тоска старая песня тайги.

Любит ли он в этот момент Отто по-прежнему так страстно так абсолютно безумно как вначале мы сегодня уже точно не знаем единственный кто это знает то есть сама Отто никаких точных сведений на этот счет не дает.

Блуждания сердец которые приводят к роковым последствиям. Отто все-таки еще тот прохвост. Юная пара уже через несколько месяцев после первой встречи договорилась не расставаться никогда. Отто что постарше в этот момент уже находится в Испании. У Отто рождается сын такой же белокурый и белокожий как его отец и она находит 1000 оправданий почему он не пишет.

Старшая медицинская сестра Отто выпрыгнула из окна в прозрачной пижаме. Так у этих простых людей принято выражать свою благодарность.

25. ТАК ЧТО ЖЕ ПРОИЗОШЛО
НА САМОМ ДЕЛЕ (ПРОДОЛЖЕНИЕ)

Так что же произошло на самом деле существует 3 версии. Улыбка озарила слегка опечаленное лицо Отто такая улыбка появляется & еще появится в соответствующий момент у тысяч матерей: ребенок у него в животе впервые шевельнулся он прижал руку к бешено бьющемуся сердцу и это вновь было что-то бесконечно утонченное & все же ощутимое во всех клеточках его я шевеление новой нарождающейся жизни он энергично захлопнул двери и положил конец разговорам с Эммануэлем и его революционерами уже только во имя будущего новорожденного. Согласно версии 3 Бен Чандер исследователь проказы временный владелец турецкого конака умный гибкий человек гастарбайтер был слишком труслив чтобы наложить на себя руки & поэтому бывшая медсестра попросила чтобы его убили. Она сама это в конце концов и осуществила потому что оба спутника жизни исключительно доверяли друг другу. Когда Элизабет увидела перед собой мертвое бездыханное тело своего ненаглядного на нее напал страх перед последствиями ее преступления страх перед полицией тюрьмой перед дальнейшей жизнью и поэтому она решила лишить себя телесности. Душная нездоровая атмосфера в которой пришлось расти этому маленькому дурачку говорила сама за себя и он начиная с этого дня каждое утро по 2 часа тренировался прыгать в высоту на близлежащей теннисной площадке. Ингеборг страстно желала сделать рентген груди у тайно боготворимого ею врача-гинеколога это было в ту пору когда освобождались от оков корабли ломался лед и Отто как я уже говорила легко воспламенялся & той опасной возбужденностью то есть проявлял легкую наклонность к асоциальным действиям. Над Амштеттеном уже в третий раз опускается вечер. На улицах темнело там и сям зажигались фонари люди устремились с работы домой к своим любимым меньше стало прохожих царственно вспыхнуло море огней большого города. Манфред Дорнат включил фары. Там впереди судя по всему улица Сименсштрасе сказал он ты не слишком устала Кристель. Я провожу тебя Манфред спасибо Кристель. Вот и весь решающий разговор. Перерастет ли в подлинный конфликт это хитросплетение материнской любви & долга по отношению к полупарализованному мужу. Да-да перерастет ли в подлинный конфликт это хитросплетение материнской любви & долга по отношению к полупарализованному мужу.

Отто был настоящим подонком товарищей по играм которые были младше & слабее чем он Отто кусал бил убивал & упаковывал их беспомощные тельца & отправлял их на главпочтамт до востребования встревоженным родителям вернись назад Отто мы всё простим & забудем да и твой мастер тоже на тебя не сердится твои папа & мама. Других же он уличал в вопиюще неприличных вещах которых их заботливая мать знай она о них никогда бы не допустила или же в том что такой вот недозрелый невольный наследник уже способен понять то есть не так уж много в пять лет он был предводителем банды сорванцов-ровесников & лично бил мальчишек постарше кого по головке кого по животику в выразительное детское лицо по попке & по пухленьким детским ладошкам которые по-прежнему так забавно умеют играть непривычными для них вещами короче по шаловливым рукам. Вкусив однажды плодов любви она почувствовала к ним вкус через короткое время она влюбилась снова на этот раз в журналиста который долгие недели лежал в больнице с фурункулезом возможно она испытывала к Чандеру как и к доктору Фрайману скорее материнские чувства. Ингеборг лежала на куче тряпья жакет комбинированная блузка бюстгальтер изо дня в день валялась перед самым входом в рентгеновский кабинет & умоляла сделать ей вожделенный и заслуженный ею рентген грудной клетки все смотрели на нее как на ненормальную как на одержимую она была пуглива готова на все большинство посетителей не обращая внимания на горемыку перешагивали прямо через нее.

Во время отпуска вам тоже не придется мириться с отсутствием нашей газеты перед отъездом не забудьте оставить заявку на имя Отто.

Холодно пробирая до самого сердца улыбается белокурое существо из шелестящих волн (см. ил. справа) тот кто это увидит если он мужского пола тут же начинает тоже шелестеть и баюкать и хотя те без кого вода никак не может обойтись констатируют это не без зависти все равно этот холодящий процесс услада для глаз не так ли господа. Да если без меня вода тоже не может обойтись и я констатирую это не без зависти то этот холодящий процесс все-таки услада для моих глаз.

Когда первые люди из его команды упали и сам Мануэль ощутил в голове какой-то странный дурман он тут же схватил телефонную трубку потому что ему стало ясно в чае содержалось сильное наркотическое вещество. Казалось центнеры веса отягощают его руку когда он пытался поднять ее и нажать кнопку вызова. Но сколько он ни давил на кнопку компания не отвечала линия связи была повреждена. Со стоном он швырнул трубку & больше не в состоянии был держаться на ногах. Падая он увлек за собой весь телефонный аппарат. Сказка стала явью и не только для вас милостивая госпожа как участницы нашей лотереи но и для вашего уважаемого супруга которому каждая марка верности позволит завоевать еще немного места на нашей семейной накопительной карте коллекционера. Участвуйте в нашей грандиозной семейной лотерее вся семья выигрывает этот и еще множество других великолепных призов вы можете ежедневно видеть в наших богатейших выставочных залах запланируйте туда прогулку вечерком прихватите с собой всю семью вы выиграете 10 классных автомобилей.

Отто тем временем ни на что не надеясь лежал в огромной больничной палате вместе с 30 другими стонущими женщинами дитя в его бесформенно вздувшемся теле неистово рвалось навстречу свету холодной действительности в которой оно собиралось утверждать себя доказывать свою нужность отвоевывать место под солнцем осваивать искусство жить & защищать свое место под солнцем отвоевывать право на существование исполнять свою миссию выполнять свой долг если только ему не суждено подчиняясь строгому закону естественного отбора царящему ныне на свете попасть под колеса на помойку в неблагодарный мрак куда его столкнут растопчут утопят такие & подобные мысли неотступно преследуют молодую мать будущую молодую мать. Правда ли что у детей-искусственников более чувствительная кожа Ингеборг делится своим богатым опытом перинатальной медсестры. Кормить грудью вы не можете и права на это не имеете поэтому пусть вас это не волнует если будете угрожать тогда получите первый в истории говорящий труп и можете на нем заработать кучу денег. Как мы слышали волнения последней ночи не прошли для Отто бесследно он стоял с трудом удерживая равновесие переваливаясь всем своим бесформенным телом & прямиком выхватывал последних малюток из молодых женщин его элитные войска таким образом все росли и росли. В застывших мертвых лицах оставшихся конторских коллег Отто стоял последний недоуменный вопрос где мой ребенок отдай мне моего ребенка он для меня всё это моя гордость ради него я живу ради него работаю уматываюсь пусть ему живется лучше чем мне хор матерей взывает где мой ребенок? Отто который мог бы ответить вот твой ребенок возьми его заботься о нем как следует чтобы чистеньким ходил не отвечает хору матерей вот твой ребенок возьми его заботься о нем как следует чтобы чистеньким ходил Отто вообще не отвечает. Но Отто и детей постарше отнюдь не избегает наоборот в последнее время дети постарше интересуются Отто который вышагивает в своих высоких сапогах корча из себя неизвестно что только так от песочницы к самокату на ту магистраль где шведы шипят & шепелявят. Где молодая женщина со счастливым удивленным лицом наблюдает за первыми шагами своего мальчугана там тащится и он неверными шагами пьяного со своим сальным подбородком & делится сведениями из своей гинекологической практики.

Мы прочитали ваше сообщение о Хейнтье & оно привело нас в полный восторг. Поэтому мы просим сообщить нам побольше о Хейнтье в нем нам больше всего понравилось то что он совершенно нормальный мальчик. И мы думаем в этом нас поддержат многие поклонники. Нам так хотелось бы познакомиться с ним когда-нибудь лично не может ли ваша редакция помочь нам получить его автограф и чтобы он его нам посвятил мы так его любим. Отто О. Амштеттен.

Она была красива и поэтому обречена умереть. Только две недели назад эта хрупкая девушка получила место ученицы в хозяйственном магазине в Вельсе Розмари ежедневно ездила на поезде на работу. В том числе и в субботу. Но возвращаться домой ей больше было не надо. Об этом и о многих других замечательных вещах заботится Отто гимнастическая площадка физкультурник инструктор гимнастическое общество молодой ученый участник Олимпийских игр в Мехико из Вашингтона цветной. Его красивое пропорциональное лицо со смышлеными глазами и волевым ртом выдает силу и ум. Веселая пестрая юбка Конни развевается сегодня совсем не так задорно как всегда у бедной девочки опять критические дни. Сексуальный Рекси удивленно надув губы видит пятна на постельном белье девчонка говорит он маленькая глупая девчонка. Испытывая жалость он притягивает ее к себе заботясь о том чтобы их отношения не потерпели крах. Продолжение читайте в следующем номере. Исключительно только для вас ваш любимый мастер национального романа написал это произведение. Здесь молодая мать Отто О. которая сама сыграла роль отца своего ребенка борется за счастье своей жизни.

Давай удерем Рекс? Мне кажется в такую метель ни одна душа не заметит что мы сделали ноги предлагает неисправимая Конни. Она воплощение озорства. Ой конечно Рекс услышав эти слова тут же соглашается. Но потом он вспоминает о критических днях Конни. Он заботливо берет ее на руки и кладет на кровать завернув в одеяло. Для своего возраста он очень разумен и предупредителен.

Отто толкает коренастого парнишку в мускулистую спину & тот летит по воздуху прямо в синее звездное небо и плюхается в какое-то звездное скопление. Золотистые локоны вытягивает он у следующего из покрытой коростой головки все десять пальцев из нетвердо покачивающихся ног.

Отто пытаясь защититься закрывает рукой свой вспухший живот то и дело стараясь увернуться от грозящих кулаков пьяного Эммануэля который одаривает его тумаками у порога ученического общежития во имя гражданского правопорядка страны.

Ухоженный с помощью жидкости бэбифайн любимчик (Подвергайте тщательной проверке все складочки кожи в них часто сохраняются остатки крема или присыпки не смытые во время купания. Смочите ватный тампон жидкостью бэбифайн и вы сможете легко и безболезненно удалить все следы грязи. Складочки жира обработайте при помощи специального масла.) направленный ласковой надежной могучей рукой Отто к которой можно и нужно испытывать доверие словно возвращаясь в лоно отца отправляется в его же глотку & желудок.

Отто безжалостный драчун и типичный убийца тип который всем известен. Для него нет ничего святого и ни к чему он не испытывает почитания или уважения но в свой собственный трудный час он как и все матери до него и после упоенно содрогнется от первого крика своего отпрыска со смесью радости страха боли и ожидания. И тогда он сразу станет другим он сделается новее лучше радостнее счастливее добрее. Он станет человеком который все прочувствовал.

Рекс устанавливает повыше изножье кровати кровь ударяет Конни в голову которая распухает до гигантских размеров и становится темно-красной. Ее ловкая рука еще успевает натянуть на колени красивую подростковую юбку. Рекс отводит глаза в сторону как будто он ничего не заметил но сам тоже заливается краской. Всякий раз когда он смотрит на эту маленькую Конни с которой он вместе вырос и которая внезапно достигла определенной ступени зрелости ему становится жарко. Он ободряюще подмигивает маленькой страдалице. Выше голову храбрая Конни!

Предостережение Белого Гиганта самого старого и самого верного друга семьи пришло в данном случае поздновато. Он кивает и улыбается примиряюще неловко. Потом с гигантской моющей силой он вновь раз и принимается за дело работа не должна стоять тем более из-за такого человека как Отто. Из-за такого слабого человека. И еще он думает убегу от его белой кожи от его золотистых ангельских волос от его светлых глаз которые не знают что творят что они творят по отношению к мужчине по отношению ко мне. Ведь они снимают с меня оболочку.

26. ДЖОН ПОЛ ДЖОРДЖ РИНГО МОЛЧУНЫ

Джон Пол Джордж Ринго молчуны вопреки обыкновению не проронили ни слова они овладели особым видом беседы необычайной красоты это с удовольствием признают все кто любит & ценит этот знаменитый листок клевера кому их вдохновенные песни принесли немало радости. Родной ты очаг мой Амштеттен весенних деревьев цветенье зеленые сочные травы магнолии вишни жасмин. Потомак сияет на солнце. Озорница Хелен в моих руках и все мужчины оглядываются ей вслед длинные загорелые ноги светлые волосы нет Хелен не блондинка. Ингеборг маленькая беспомощная Ингеборг со светлыми ангельскими волосами девочка моя. Сонная улыбка появилась на губах у Джона Пола Джорджа Ринго & пришли новые мечты и чувство: все снова будет хорошо. Доброй ночи маленькая Ингеборг. Вообще-то эту четверку с огненными буйными волосами с этой дикой гривой которую даже смерть укротить не в состоянии Джон Зяблик Пол Калумбин Джордж Ситар Ринго Пень. Но поскольку в крестьянском обиходе существует определенное неприятие длинных имен произносить которые язык сломаешь не дай бог запнешься на полдороги было дело девчонок они называли просто умывальниками & они бросались в их аппетитное свежее лоно как только почувствуют желание. Оказавшись под поверхностью квартет с вожделением открыл глаза. Все странным образом расплывалось что-то зеленое напоминающее листья клевера вздымалось им навстречу на этой тропе приключений пытаясь опутать лодыжки. Они попросту отодвигали их руками погружаясь все глубже потом они увидели водяного убийцу причем раньше чем он их заметил. Водяным убийцей было водное растение по природе своей наполовину паразит. Оно обитало по большей части в развилках ветвей и глубоко врастало в древесину но верхняя часть растения также была приспособлена для добычи пропитания. Длинное жало языковидной формы молниеносно вытянулось вперед и обвилось вокруг левой руки Джона Пола Джорджа Ринго. Толстая Эдельтрауд эта жирная опухоль ни больше ни меньше та самая по поводу которой Джордж отпускал свои неподражаемые шуточки в основном весьма сального свойства именно она напомнила всей четверке их отчий дом родителей которые их родили и воспитали мочалки которых они трахали стены писсуаров которые они обмазывали дерьмом короче все что для среднестатистического человека наших дней неразрывно связано с понятием родина & родимый край.

Она на это сказала при этом ему приходится приобнять тебя глянь-ка в зеркало что за красные пятна проступили у тебя на лице и на шее неужели это просто оттого что ты говоришь. Болтун залился краской. Нет это не только оттого что я говорю это случается от меры от давления (love) власти. Власти которая заставляет забыть про отца & мать в вечной борьбе полов. Эммануэль который теперь опять был в курсе шагал своим тяжеловесным рабоче-крестьянским шагом сквозь толпу людей к которой он по его мнению со всей своей неподдельной исконностью то есть со своей подлинной исконностью уже по-настоящему и не принадлежал он был художником живописцем он чувствовал призвание к вещам более возвышенным & вместе с тем сомневался удастся ли ему хоть когда-нибудь найти связь искусства с тем самым нетленным (нетленным). Он в мгновение ока писал вполне приличные акварели мотивы из мира гор который естественным образом был ему ближе всего просто все подряд что попадалось ему на глаза а на глаза ему попалась помимо всего прочего девушка Хелен с ее незамысловатой естественностью неисчерпанного неиспорченного незагубленного с фигурой девушки-мечты. Потрясающий художник и судьбоносный роман. В папке с рисунками сотни лиц обнаруживающих поразительное сходство но не сами они как таковые выражали его подлинное я потому что ему для достижения совершенства не хватало последнего штриха очарования чего-то такого непостижимого чего-то что затаенно уже дремало в нем в ожидании когда бережная рука вытащит его на свет божий. Добрая бережная рука схватила соску и вот уже в тысячный раз вытащила все это рассмотрела внимательно обтерла поставила на ноги & показала где завязать пупок. Подобные сцены изо дня в день разыгрываются на окраинах Вены где наслаждение & страдание живут бок о бок значительно теснее чем где бы то ни было на этом свете. Белый круглый корень пульсировал прямо над головами у группы сидела птица. Глаза ее неотступно отслеживали опасности. Она пока не знала что уже поймана. У этой прикорневой птицы не было головы как таковой потому что она была ей не нужна тело ее было словно вздутый мешок между крыльями. На этом мешке повсюду тоже были глаза. В одном месте из тела рос тонкий корень длина его могла достигать 200 м & он доставал до земли. Джон & Пол расположились на скамейке возле дома как их предки только немножко раскованнее & сложили руки на коленях когда два других их приятеля выходили со двора со связкой старых ключей в руках они направлялись в часовню чтобы прозвонить Аве Мария к вечерней службе как и каждый день эй еврей раздались вскоре чистые мальчишеские голоса сначала печально потом весело из-за стены во двор прославляя господа. Лавины. Они никогда не забудут этот смертоносный звук этот шум & грохот после всего того что произошло это невозможно. Что же произошло. Пока Джон в один прекрасный день не познакомился со страховщиком Полом. Для девочки это была первая в ее жизни большая случка. Молодой человек занялся судьбой девочки всерьез вширь и вглубь. Было нелегко повлиять на нее позитивно в духе современного гражданского общества но молодой страховщик а также его друзья Джордж & Ринго эти болотные кораллы эти отходы эти товарищи по несчастью справились с трудной задачей. Ему удалось вызволить ее из той фирмы где она работала и устроить ей гораздо более выгодное место в одной конторе Джону суждено было в будущем зарабатывать на хлеб будучи служащим а потом вообще остаться дома в роли домохозяйки музицирование в стиле бит ограничивалось домашними концертами молодой группы и все было пущено на произвол судьбы а вовсе не на произвол посторонних абсолютно посторонних людей о которых Пол и знать ничего не знал кроме того что они сразу впрягались в свое ярмо едва завидев издали собственную невесту. Итак девчонка была на седьмом небе и решила подвести жирную черту под своим бурным прошлым буйные вечеринки выпивка кайф травка всему этому надо положить конец раз и навсегда. Джордж & Ринго которым до того особенно нечего было сказать горячо одобрили ее решение. Сцена раннего периода их дружбы их тесных контактов их жизни друг для друга и т. п.:

Джон смотрел на Пола ее невинно-наивными & внезапно таинственными бездонными глазами. Она стояла перед ним этим негром этим отверженным этой жертвой дискриминации членом американской сборной на Олимпийских играх в Мехико очень стройная в облегающих лыжных брюках джемпер обрисовывал формы ее тела. Ее лицо было совсем близко так близко он никогда еще не видел ни одного лица так близко как только возможно в общем очень-очень близко. Ее глаза сияли опалами в сумеречном свете который просачивался через плотно занавешенные окна. Она рассматривала его долго и внимательно начиная с задницы и заканчивая макушкой и потом в обратной последовательности от макушки до задницы затем опять несколько минут кряду целую вечность казалось время замерло & он почувствовал как краснеет под ее взглядом тогда она сказала у меня еще ни с одним мужчиной ничего не было. Это будет нашим последним боем революцией мнений в области шила в заднице и разного рода путешествий сказали участники сцены & они всегда опрокидывали Джона переполненного собственными упражнениями через головы окружающих в веселую неразбериху в подземелье таким образом они совершили злодейское осквернение загрязнение общественной собственности осуществили эту никчемную выходку и немедленно без колебаний смылись.

Прикорневая птица вяло взмахнула крылами но улететь уже не могла. 8 человек Джон Пол Джордж Ринго Нож Лоп Ждрожд Огнир вскарабкались ей на спину и впились когтями в перья & они всё вновь и вновь втыкали ножи в ее плоть чтобы перерезать нервы и наконец появилась трещина во всасывающем корне земли & из раны хлынула грязь птица попыталась вновь улизнуть трещина все увеличивалась. Прикорневая птица изо всех сил потянула за корень пока тот не вырвался. Она пошатываясь взлетела ветром понесло ее прочь и долгое время казалось что она оправилась от ран но потом полет ее становился все неувереннее и она начала неуклонно терять высоту.

Их задачей было выведать какую приправу госпожа Инге забыла положить в этот впрочем вполне лакомый десерт. Этим они обеспечат себе шанс на победу. Мне бы хотелось получить возможность тебя нарисовать. Что тебе мешает пожалуйста. Я тогда облачусь в праздничный наряд своей матери ответил Пол трясущемуся Джону. Но тот горестно покачал головой и легонько потрепал ее по щеке словно ребенка которого надо утешить. Он сказал на штирийском наречии ах ты претендентка на дурную славу как-нибудь в воскресенье вечером я может быть решусь на набросок углем. Среди братьев и сестер он всегда был самым медлительным в поле это особенно сильно было заметно он вообще отставал в развитии был низкорослым невзрачным тщедушным жалким. А для того что мне мерещится вообще не нужно праздничного наряда. Ну хорошо тогда пусть будет национальный. Нет Паула не надевай вообще ничего. Тишина. Жуткие тревожные минуты тишины. Только ветер тихонько шепчется в листьях сирени. И однажды будто послышались шелестящие шаги через холм и в долину. Что скажет Пол Маккартни в ответ на это предчувствие?

27. ЭММАНУЭЛЬ ПРЫГАЛ

Эммануэль прыгал рыдая по сожженному картофельному полю в конце проигранной войны. Улетали секунды и мощь землетрясения росла. У Эммануэля не вызывало никакого сомнения то что внешняя охрана когда он напал на генерала чтобы взять командование в свои руки разбудила дремлющую энергию о существовании которой ни он ни его братья не подозревали. Возможно активизировались старые накопители заложенные прежним командованием. А может быть произошла интерференция мозговых энергий когда недовольный Мануэль нанес удар. Никто этого не знал и никто не в состоянии был узнать. Казалось освобожденных энергий вполне достаточно чтобы разорвать мощное тело генерала на мельчайшие кусочки. Недовольство фюрера принесло смерть миллионам.

Появление грозного учителя прекращает негромкую беседу к которой весь класс с интересом прислушивался. Хельмут едва в силах подняться со своего места настолько у него дрожат колени. Отмар ерзает на своем месте туда & сюда как на иголках.

Все это звучит таким роковым прорицанием что Хельмут немедленно ускользает робко попрощавшись. Отмар его верная тень разумеется бежит следом за ним. У них над головой рушится мир убивают свободу но они все равно спешат на выполнение задания.

Дюссельдорф: он обернулся. Она вся сделалась серая. Она неосознанно откинула голову назад словно пытаясь уклониться от невидимого удара. У меня колотится сердце. Мое и Кристель. Она откровенна. Иди сюда. Тишина в доме тягостно повисает окутывая молодую пару. Потрясенный Вернер смотрит

106

на нее. Господи Инге говорит он Инге. Он пожимает плечами в конце концов спать с девочкой это не преступление. Ты лучше бы работал Курт. Я работаю но это не лучше.

Мир будущего золотой когда придут грядущие поколения орда одетая в металл навис над их головами. Но они не смотрят туда они продолжают умирать от рака старые и истерзанные. Оркестр Чарли Баумана доказательство того что может существовать группа у которой нет этих неухоженных лохматых голов в аккуратной одежде цивилизованных людей группа которая к тому же играет хорошую поп-музыку и эту группу прекрасно принимает публика публика хочет слушать вовсе не шум и крики производимые прочими знаменитыми бит-группами точнее крикунами а по-настоящему отточенную добротную музыку исполняемую милыми молодыми людьми с качественным музыкальным образованием в конце концов трое из них даже с успехом закончили консерваторию и не гнушаются играть любимые всеми вечно юные вечнозеленые неистребимые радующие сердце неустаревающие мелодии из оперетт и по-настоящему хорошие шлягеры с добротными хорошими текстами часть которых группа пишет сама и у которых есть мелодия то есть все не исчерпывается неартикулированным ревом как это бывает скажем у Rolling Stones или Beatles назовем только эти две как самые известные. Браво. Послушаем же эту высокоодаренную группу и тогда решим заслуживает ли этот иностранный импорт который совершенно не имеет права или же на очень малую долю имеет право называться словом музыка действительно ли он заслуживает того чтобы наша молодежь сокрушала столы и стулья наносила бы урон чужой собственности короче говоря выходила бы из берегов когда усилители работают на полную катушку. Давайте еще раз послушаем этих молодых парней и сравним. Золотые сапоги грядущих поколений топоча спускаются с гор оплакивая своих предшественников. Они с трудом шагают по скалам и метеоритам.

Глажка постельного белья наверняка вызывает у вас затруднения. Вы хорошо понимаете что мягкое эластичное белье гладить значительно легче. Вам знакомо синтетическое белье которое слипается и трещит от электричества и это вызывает у вас досаду. Вы стали бы применять антистатик который снимет электричество с синтетического белья? Я согласилась бы применять антистатик для снятия электричества с синтетического белья.

Золотые сапоги грядущих поколений перешагивают через Хельмута как будто он вовсе не существует. Несметная толпа людей опускается на колени.

Чисто оптически нагрудники по-разному подпрыгивают на груди угнетателей. Действующие лица играют на фольк-гитаре. Таким образом оставшееся общество шумно требует вернуть ему его репродукторы и пинки. И тогда они в ногу рука об руку и нога за ногу возвращаются домой.

Во мгле метрах в 10 от него в земле почти незаметно раскрывается круглое отверстие из которого бьет мощная струя ослепительно голубого огня. Командир инстинктивно бросается в сторону наталкивается на Хельмута и увлекает его за собой. С бешеной скоростью он обегает тупой скальный выступ и прячется за ним. Да Ринго был красивой девчонкой. Д-р Курт Фридрих слишком хорошо это знал. Да и сейчас он тоже по-прежнему красиво смотрелся

когда стоял там а слезы застилали

его гневно сверкающие синие глаза каштановые

локоны обрамляющие его лицо стильный наряд на стройном теле да несомненно: он был красив. Курт придвинулся поближе пока теплое дыхание Ринго не коснулось его щеки он плотоядно сосредоточил свое обоняние на том что впереди него и тут Ринго подошел вплотную наконец-то! Это было уже слишком он испытывал чувство отвращения к этому горячему дыханию пахнувшему полупереваренным салом сыром и картофельными оладьями весло угодило в гриф гитары Курта всей лопастью струны полопались произошло так называемое массовое размножение мужских перепончатых растений которые превратились в воздушные шары и увлекли с собой площадку на которой стоял Ринго: над многочисленными предками живущими на субсидии подагриками у пивных стоек над колесами обозрения прочь в страну мечтаний. Под их скальным островом простиралась равнина. Почва не была ни мягкой ни болотистой. Она была твердая & испещрена трещинами. Рыжего & черного цвета. Лишь там и сям скудная растительность. Из-под прикрытия леса выползали странные существа. Они казались изящными и хрупкими и вдобавок беспомощными & простоватыми. Они напоминали давно вымерших кенгуру передние лапки скрючены тогда как задние выглядели большими & сильными. Это было племя певцов и танцоров hey jude don't be afraid take a sad song and make it better remember to let her into your heart so you can start to make it better. Разве Петер Александер и Хейнтье враги неужели соперничество с маленьким Хейнтье и его растущая популярность грозят опасностью великому Петеру? Нет Петер Александер и Хейнтье были и остаются лучшими друзьями.

Мягкое от силана белье это букет приятных ощущений для вашей кожи. Не стоит ли вам обработать силаном белье особенно хлопчатобумажное ведь в таком приятном для кожи ласковом белье ваша семья чувствует себя лучше. Мы не сомневаемся что мягкие пушистые джемпера вам нравятся больше чем грубые и колючие. Регулярно проводите силанизацию чтобы ваша семья была обеспечена силаново-мягкими шерстяными вещами.

Я никогда не любила своего отца думала сестра Эммануэля в конце Второй мировой войны но когда он умер пал на полях сражений как солдат тогда я его полюбила тогда я плакала и на его могиле пообещала быть хорошей девочкой той зимой я каждый вечер ходила на кладбище. Я дала ему это обещание и держала слово до сегодняшнего дня а теперь: близость мужск. тела защищенность & тепло и опять все разладилось.

Ринго & его друзья взвалили на плечи мощную аппаратуру кабели и не обращая внимание на всякого рода оружие стрелой помчались против ветра их целью как и каждый четверг было растение под названием дождевая губа пурпурно-красный сок тек у него по стволу образуя крупные капли и уходил куда-то в глубину. Терновник соблазнился соком приклеился к липкому стволу и погиб. Жизнь здесь приобретала все более фантастические формы растения напоминали птиц повсюду из зарослей высовывались хищные зеленые язычки ловя добычу прямо на лету такова была зона древесных крон неповторимый замкнутый в себе мир.

С крытого стадиона земли Саар в Саарбрюкене в тот же четверг передавали очередную серию популярного стрелкового шоу «Золотой выстрел» на этот раз в программе целое отделение где выступают дети симпатичный малыш-швейцарец из Цюриха поет для вас йодлеры молодежная группа из Бад-Киссинген дополняет интернациональную палитру музыкантов высокого уровня. Из Лас-Вегаса приехала солистка балета Сандра Дилинг она родилась в Вуппертале.

Ринго ученик механика с тяжелым рюкзаком за плечами с трудом карабкался в гору но он по-прежнему ощущал жесткое давление ноги олимпийского спортсмена Тома на ЕЕ бедро чувствовал как его здоровая левая рука прикасается к ее руке она закрыла глаза медленно очень медленно она сползала все ниже пока ее голова не достигла уровня его груди он отказался от предложенной булочки голос его звучал хрипло. Его разговор с Эммануэлем протекал примерно так: ребяческие замашки дочери им очень мешают. Такое поведение юной дамы только маскировка она находится в той стадии зрелости когда в жизнь человека входят гимнастические упражнения наклоны дистанции и пресловутые крутые горные подъемы. Образы и представления роятся вокруг нее. Кроме того Ринго боксер легчайшего веса наступил обеими ногами на свою жевательную резинку подул себе (опять) между ног так что жвачка взбугрилась огромным розовым пузырем который поднял его в воздух и понес в Амштеттен отправную точку его подстрекательской деятельности. Под конец как это бывает в каждой из наших веселых и шумных вечерних бесед по четвергам сводка погоды: идите и собирайте сокровища повсюду где сможете их получить ибо только с помощью сокровищ вы можете приобрести друзей которые одолеют врага коммунизма.

28. КОГДА СОЛНЦЕ ЗАМЕРЛО

Когда солнце замерло в небе растения завладели всем миром а людей беспощадно изгнали в канун вечности. Отто заслонил замкнул ее красные губы долгим нескончаемым поцелуем и казалось он действительно никогда не кончится время перестало что-либо значить для них он обрушился на нее & покрыл ее лицо долгими поцелуями он жадно искал ее красный рот и прижал к нему свой в долгом почти нескончаемом поцелуе он разжал ее губы & напугал ее своей ошеломляющей яростью какой никто не мог ожидать от маленького бухгалтера маленькой птички кайры с испепеляющей всё вокруг сокрушительной страстью он смотрит на нее & она белая женщина Отто молодой цветной ученый и спортсмен из столицы американского штата очарован глазами лицом голосом Ингеборг студентки из Мюнхена. Он чувствует: никогда он не сможет ее забыть эту молокососку. Но невидимая стена стоит между ними стена между черным & белой.

Отто слышит свой собственный крик крик раненого зверя крик человека на вершине страдания и боли крик который люди & звери исторгают в редчайшие моменты страха отчаяния когда их ранили насмерть. Боль огненным кинжалом пронзила грудь черногорца запах паленой плоти заполнил помещение. Водопроводный кран течет истекает каплями черные ободки грязи под ногтями постепенно растворяются превращаясь в смесь воды и крови самая верхняя костяная пуговица темнее других и явно пришита позже она вся заскорузла пахнет застарелым табачным дымом на нем нет очков как вчера зато он обут в венские лесные башмаки на сантиметровой каучуковой подошве на правой штанине расплылось большое масляное пятно носков на нем нет на безымянном пальце правой руки белая бороздка словно от вросшего в мякоть пальца обручального кольца веснушки на тыльной стороне ладони и редкие рыжеватые волосы никаких фирменных этикеток ни на кожаном пальто ни на серых штанах до колен на его кожаных бриджах в засоренном водосточном желобе воробьиное гнездо Ингеборг была права подумал он это ВОИСТИНУ ВЕНГР КОРМИЛЕЦ КАК НАПИСАНО В КНИГЕ!

Появился белый тонкий прут потом другой. Сначала они бесцельно хлестали вдоль & поперек но потом нашли ствол дерева. Они окружили его в то время как пернатые поспешили упорхнуть прочь. Ива-убийца прорастала сквозь песок. Пузатый вяз был беспомощен ведь обороняться ему было нечем. Его кора начала лопаться во многих местах. На верхушечных ветках ивы-убийцы зарождались такие же растения какие росли у подножия холма.

В молодежном палаточном лагере Отто нужно было добыть еще кое-что головки ангелов из серебристой фольги с зубчатыми крыльями на самом деле это были куски облаков идущая поверху мягкая и пухлая оптически уходящая вглубь стена блаженства вот о чем ему необходимо было поведать захватывающую душераздирающую историю двух молодых людей Ингеборг возраст 21 год студентка из Мюнхена и Отто возраст 23 года начинающий инженер олимпийский спортсмен из Вашингтона двое молодых людей подобно миллионам других но эти не имеют права любить друг друга. Предрассудки сплетни недоверие и ненависть преследовали их потому что Ингеборг белая а Отто цветной мужчина с темной кожей но ради своего счастья Ингеборг & Отто прошли сквозь огонь воду и медные трубы этого мира сквозь леса озера и степи их общей богемской родины боритесь же против злобы и презрения жестокого непонимающего окружающего мира борись борись.

Днем Бассена производила еще более унылое впечатление чем ночью присохшие к фарфоровой тарелочке взбитые сливки и кусочки теста от трубочки с кремом навозная муха кожица от жареной сосиски следы размазанной горчицы крошки хлеба чашка с кофейной гущей на дне Отто смотрел на все это высокий лоб был непроницаем в голове роились мысли набегали волнами & откатывались назад на его выразительном лице уроженца предместий отпечатывалась работа мысли его жилистая рука сжимала большое сочное краснощекое яблоко которое сегодня утром подарил ему мастер и которое он сегодня решил принести своему папочке ведь папочка будучи разносчиком угля и на еще более тяжелых работах всегда мечтал о таком вот яблоке или хотя бы о дольке яблока ему хотелось хотя бы разок понюхать это яблочко яблочный запах напоминал ему о родной Чехии в детстве мама часто угощала меня яблоками из нашего красивого большого сада а потом надо было зарабатывать трудиться заботиться о хлебе насущном чтобы прокормить мальчонку то есть тебя после ранней смерти матери ему яблоки даже по воскресеньям не давали и вот теперь он Отто сберег свое первое яблоко (apple) для папочки и вот переполненный радостью он взбежал по ступеням по истертым ступеням перепрыгивая через две папочка угадай что я тебе принес яблочко (apple) а теперь папочка больше никогда не пошевельнется дорогое его сердечко (heart) остановилось даже стекла слепые оконные стекла потемнели солнечный луч не проникает во двор внизу катятся бочки в винный погреб и больше ни звука если есть бог если есть господь в небесах говорит Отто тогда ты там наверху позволь моему папочке по крайней мере один раз (1 раз) попробовать яблочко ты всевластен сделай чтобы было как у него дома в детстве когда его мама могла срывать для него плоды из собственного сада пусть он еще раз почувствует вкус яблочка ты иже еси на небесех. И тогда блаженная улыбка осветит сморщенное лицо отца беззубые десны задвигаются хрум-хрум-хрум и словно дыхание заветного прекрасного мира из его уст донесется: ах ты плут мальчонка.

Сжав губы Отто рассматривает девушку ее черты кажутся ему до странности чужими & ее бездыханная плоть хотя и возбуждает его как прежде но его душа до глубин которой все это проникает молчит легкий холодок страха пронизывает его он спрашивает себя неужели все это было напрасно и в этом не было никакого смысла. Старый голубой фольксваген Ингеборг непривычно одиноко и потерянно стоит на парковке ее коротенькая лисья шубка прикрывает ее тело от бедер и ниже длинные светлые волосы сияют Ингеборг девочка моя однажды мы обретем друг друга навсегда этот день уже не за горами. Я отравил папочку я отравил мамочку но теперь мне все это не приносит радости на узкой полочке над кроватью стояла серебряная вазочка а в ней одна-единственная красная роза я сейчас сказала Ингеборг и стала аккуратно складывать в чемодан папочкины брюки рубашки галстуки пиджаки носки ботинки & добротное зимнее пальто из универмага а еще электробритву и новенькую челюсть. Папочка умер мамочка умерла прошептала она да хрипло ответил он а мы живы прошептала она Отто мы живы. С тем вдохновением и той беззаботностью с которой так быстро берется за дело молодежь Отто вошел в палаточный лагерь и в своей типичной молчаливой надменной но при этом если надо привлекательной манере с сердцем которое билось у него там где положено то есть с левой стороны под ребрами в белой жилетке и с умытыми руками стал с хитростью но без обмана наблюдать следующее в нижеследующем порядке: полные формы задушевные смертельные поцелуи штирийские багажники фасоны юбок заслуженные интриганы почтовые посылки ниппели шантаж здравицы искривленные губы кайф курочки возвращенцы сплетни оскал зубов осквернители вставки desperados снайперы (честь она мертва жесть она трава) & пожилые крестьяне.

Если для подвижного вовсе не созданного для смирного сидения в классе Отто уже полная средняя школа была непреодолимой скалой то здесь при созерцании таких вот живых существ желание учиться в университете у него окончательно пропало поэтому он проявил строптивость и поступил в специальную службу при спортивной команде которая занималась основательной проверкой гимнасток и это было безусловно лучше чем непристойные прыжки туда-сюда и участие в спортивных играх это была серьезная ответственная работа с радостным сердцем (всегда хэппи-сердце).

Вообще в царстве заполонивших всё растений осталось пять выживших семейств. Тигровые мухи древесные пчелы муравьи и термиты пятое семейство составляли люди легко ранимые быстро уничтожаемые и далеко не так хорошо организованные как насекомые кроме растений больше никаких других живых существ в этом мире не осталось. Если в этом аду у людей вообще имелись какие-нибудь союзники то тогда ими были термиты. Снега теперь в долинах и в Высоком Тауэрне выпадало больше но: влачить жизнь цветного? Это не жизнь на теневой стороне на черной стороне человеческого существования.

Угольная пыль на лестнице пара резиновых подтяжек висящих на спинке железной кровати оборванный шнурок от папочкиных воскресных ботинок тех самых черных четки свадебная фотография those were the days в Брно карманная расческа две английских булавки еще фотография дядьев Белый Гигант и Пасхальный Заяц которые погибли в войну под Сталинградом сломанный карандаш. Тишина была уловима ощутима Отто бросился на тишину в атаку и швырнул ее прямо в седую голову отжившую свое голову папочки. It's okay тихо сказал он своему проводнику.

29. НА ГЛАЗАХ У АННЫ ТАННЕ

Нельзя так заглатывать еду Ринго на глазах у Анны Танне говорит озабоченный Заппель. Ринго не тратит время на расспросы и снимает ответ прямо с ее свежих румяных губ. Следующее поколение в золотых доспехах пошлет своих передовых бойцов под нож будет штурмовать города сбросит на них атомный гриб.

Конни & Рекс шепчутся за его спиной Рекс входит в Конни. Мы уже стали историей раз сидим на солнце.

30. ЧТО Ж ОТТО ДО УЖАСА ВЕСЕЛО

Что ж Отто до ужаса весело что он улизнул из дому. И вообще видели бы вы как он во время поездки не выпускал руку Белого Гиганта как он на вокзале все глаза проглядел поджидая Пасхального Зайца которого раным-рано вызвали к тяжелому больному чтобы тот успел прийти вовремя и осенить сына своим отеческим благословением тогда бы вы поняли что прощание далось Отто отнюдь не легко. Темная кожа до предела натянулась на напряженных челюстях короткое трико и гимнастическая майка для олимпийских тренировок наивыгоднейшим образом выставляли напоказ его ладную фигуру. Но как же они познакомились друг с другом? Она световолосая привлекательная и неопытная у нее длинные ноги и зеленые глаза: юная студентка из Мюнхена Ингеборг. Однажды декабрьским вечером в парке на нее подобно волкам напала золотая орда хулиганов. Рослый широкоплечий мужчина спас Ингеборг в последнюю секунду. В свете фонаря она видит его лицо молодое симпатичное внушающее доверие но это лицо цветного. Отто ее спаситель изучает в Мюнхене ядерную физику и несмотря на свою молодость уже считается одним из лучших специалистов своей страны он приехал из Вашингтона и включен в состав олимпийской сборной США для поездки в Мехико. Кроме того он известный бит-музыкант лидер одной из самых крутых немецких бит-групп Swinging Boys.

Мы предки теперь в основном греемся на солнышке и думаем о зиме пока сапоги грядущего поколения насильников не сотрут нас с лица земли мы умираем от рака на теплом солнышке.

Эти молодые люди судя по сообщениям СМИ поют песни часть из которых против насилия расовой ненависти и других несправедливостей этого мира хотя напрямую они протестовать не хотят а хотят они вот чего: обмениваться мыслями они претендуют на то чтобы побудить публику к размышлению вместе с ними. В этом мире многое прогнило поэтому именно мы молодые обязаны делать все для объединения народов. Speed.

Похоже длинные ноги Отто в складной байдарке теперь не помещаются и вот его ноги вытянулись глаза рассматривали с почти неизмеримой высоты дыру в днище через которую всё скользили и скользили ноги и до сих пор не исчезали как смешно со смесью страха отвращения веселья насмешки и парящей легкости Отто наблюдал как его невероятно длинные ноги ввинчиваются через дыру в дне лодки эти живодеры эта паромная переправа то есть ноги Отто стали такими длинными что уже не видно было где они заканчиваются и это было очень занимательно для непривычного к легкомысленному смеху начинающего учителя. Speed.

В разудалом настроении шагает вдаль веселая компания Отто со своим аккордеоном всегда впереди но он преисполненный до сих пор неистребимого оптимизма был непостоянен в своем настрое и становился то самым разнузданным из всех то непривычно задумчивым и погруженным в себя особенно это проявлялось в его отношении к лежащему на земле папочке он то говорил бедный мертвый папочка то вновь осыпал старика ругательствами из-за его грязных ногтей его редких волос он то и дело кричал эй ты босняк вонючий грязный рудокоп & пьянчужка!

А что собственно было у Отто который на людях излучал веселье который своим звонким смехом мог заразить всю компанию. В одних только белых плавках-стретч лежал он в гостиничном номере пот ручьями стекал по его телу цвета эбенового дерева на котором кое-где коростой запеклась пыль бесчисленные мухи покрывали дырку от пули под правым плечом Ли Эггмейкер дочь полусветской дамы как раз в этот момент подошла к голубой бензозаправке она казалось даже не заметила спортивную машину Отто с изрешеченными пулями задними колесами и разбитым задним стеклом. У нее для этого не было времени страна & люди интересовали ее больше цыгане с их печальными мелодиями женщины в пестрых юбках исполнители песен. Холодный пот а не горячий как обычно струится у него по лбу ослабев мешком сидит он в кресле кинозала сам того не замечая сжимает в потных руках входной билет постепенно скатывая его в грязный комочек а сам тем временем пытается убедить своего единственного друга подмастерье Эммануэля которого он нашел в этой враждебной стране среди множества враждебно настроенных людей в том чтобы тот встал вместе с ним на борьбу за дело рабочих крестьян и интеллигенции но Эммануэль который тайно изучает медицину говорит оставь меня в покое кино очень интересное. Зато дома он ощущает свою силу там он как грохнет кулаком по столу да как скажет своему отцу к примеру исчезни развалина а то схлопочешь пинка ты старый бесполезный никчемный обжора отребье выродок животное уйди с глаз моих а матери говорит если ты уже стара & ленива для интимных сношений с моим папочкой тогда советую тебе сунуть голову в духовку и открыть газ вот такие вещи говорит Эммануэль дома но в разговорах с Отто он труслив идет на попятный дурной характер мышь потная.

Почему именно абрикосы? Потому что они хорошо усваиваются организмом и содержат больше витамина А чем другие фрукты организму нужен этот витамин А чтобы здоровыми были глаза кожа & слизистая.

Раскаленный & неподвижный воздух ни ветерка ни один листочек не шелохнется нигде не слышно птичьих голосов как будто природа задержала дыхание и вот-вот задохнется они отважно шагали вперед следом за ними неслась черная армада облаков поглощая один кусочек голубого неба за другим и вдруг страшный крик все громче и громче кто это кричит Пасхальный Заяц кричит он в беде на него сошла лавина камней & камнепад вырвал у него из плеча кусок плоти а тут эге-гей Белый Гигант что случилось друг что с тобой вон смотри дорога через груду камней ты продержишься до Долины смерти ты ранен неужели я пришел слишком поздно по щеке у него скатывается слеза я ранен смотри вот здесь плечо ааааа разлука близка мой горный друг нет Пасхальный Заяц я здесь и со мной моя великанская сила давай ее испытаем. Спасибо тебе ты думаешь я справлюсь ты справишься Пасхальный Заяц и нынче дети всего мира во всех уголках земли & всех национальностей получат красивые (красивые) разноцветные пасхальные яйца ты должен и дальше выполнять свою великую миссию а именно приносить радость всем от мала до велика.

С пылающими щеками и растрепанными ветром волосами Ингеборг вошла в лекционную аудиторию. Казалось она была до отказа наполнена студенты & студентки стояли и сидели пестрая неразбериха Отто первый цветной ассистент в истории Мюнхенского университета должен был читать свой первый доклад и вот он входит его с двух сторон поддерживают какие-то люди лицо окровавлено кто-то бросил в меня камень & ранил меня там где галечная осыпь какой-то анархист. Студенты топают ногами вопят & разражаются оглушительным свистом гигант кожа которого светится ослепительно белым цветом на фоне кожи молодого ученого рядом с которым он сейчас стоит как всегда скромный сплетает кончики пальцев сжимает их до боли он возвышается надо всеми в несколько раз на побелевших губах вертится одна фраза ну погодите у меня милые домохозяйки ну погодите я заставлю замолчать даже самых тупых олухов.

В скудно & скромно обставленной комнате ученик автомеханика Эммануэль попытался приблизиться к своей жертве он стал приставать к ней ярость охватила его и он начал молотить свою жертву по голове кулаком в то время как его родители спокойно сидели перед телевизором и думать забыли о своем сыне он в последнее время стал трудно управляем легко раздражался а раньше достаточно было одного кивка головой или в крайнем случае угрозы ну погоди я скажу четверке битлз они огорчатся когда узнают какой ты непослушный после чего тщедушный восемнадцатилетний отрок немедленно разражался слезами и на коленях клялся в том что исправится только не говорите ничего битлз милые мои родители ну пожалуйста пусть они узнают про меня только все хорошее но теперь из-за плохого обращения он совершенно развратился и уже никак не вписывался в общественную систему. Пасхальный Заяц тесно прижимается к скальной стене судорожным движением откидывает со лба иссиня-черные волосы воздух до сих пор содрогается от грохота он скрипит зубами от боли прохожие замирают от ужаса а потом с криками разбегаются охваченные паническим страхом четыре человека лежат на тротуаре сраженные пулями наповал. Белый Гигант & еще 3 прохожих.

31. МАЙОР РОДЖЕРС

Майору Роджерсу из форта Крейв-Пойнт выпадает сложная задача возглавить отряд американских войск сопровождения которые должны охранять колонну переселенцев идущую на запад. Он его люди & переселенцы вынуждены вести беспощадную борьбу против французов и индейцев. После тяжелого сражения в ходе которого все индейцы были убиты Роджерсу удается довести переселенцев до цели. Этот фильм посвящен всем тем храбрым мужчинам и женщинам которые превратили бескрайние просторы американского Запада в то что он представляет собой сегодня. Которые жертвуя своей собственной жизнью сделали негостеприимную опасную землю землей тучных пастбищ прерии где царили дикие бизоны реки озера и леса сделали благословенной страной господней обителью. Память о них будет жить в тех людях которым по душе не бессмысленное разрушение а созидание в духе их храбрых отцов.

Эдвин Румилл первый штурман роскошного лайнера совершенно неожиданно назначен капитаном грузового судна Бервинд прежний капитан которого загадочным образом погиб во время плавания. Перед отходом судна в море Румилл узнает что с корабля исчез кок и нанимает для замены некоего цветного который берет с собой на борт свою жену Махию. Как и опасался Румилл присутствие на корабле женщины вызывает беспокойство у членов команды. Кровь & страсть на волнах бескрайнего океана цветная красотка и несколько сот холодных как лед суровых мужчин которые ничего не страшатся в том числе грубого насилия как же закончится это плавание. Неизвестно.

32. ОБА НЕ ЗНАЛИ

Оба не знали всерьез все было или в шутку это могло быть веселое хвастовство Касперля или же его лихая шутка в любом случае настроение фей-волшебниц сидевших на спине огнедышащего дракона стало от этого еще лучше. Будьте начеку я иду к проклятому великану позовите меня дети когда Гретерль довяжет мне гульфик Касперль Касперль у Гретерль шерсть закончилась тогда придется мне отправиться к злому великану в великанье царство за шерстью а если нижняя часть у меня замерзнет я спрячусь на время как раньше.

Вот как выглядели добрые феи голубая с белыми цветами желтая с красными цветами зеленая с розовыми цветами повсюду резиновые свистки кругом кренделя либо большие кружки пива земляника обода как на бочках вокруг живота Касперлева свирель все это тянет их назад и они кувыркаются через голову. Дети хотите откусить от моей жареной колбаски нет Касперль спасибо это ведь колбаска из дерьма да нет же дети да-да от нее запах. Что думал Касперль когда нацепил на рыб крыжовник чесоточные шишки а на голодную Гретерль рюкзак и пошел вместе с добрыми феями с матушками-колбасками. Разве не пренебрегли тогда опять рыжим как мох великаном злодеем как он сам себя называл мастером мерить уровень воды сверлить дырки в черепах поджигать спариваться кайфовать жить в отдельном доме и мастером еще всякого другого прочего но тогда куда девать фей? Тогда Касперль у которого на них другие виды ставит свой прутик шестиметровой высоты феи вскарабкиваются по нему вверх и оказываются в безопасности дети вы не знаете как хитростью отвадить фей от Касперля нет великан ты злой уходи! Нет я останусь я сожру любую задницу любого любителя цветов любые яйца и тому подобное а вот сейчас я съем у доброго Касперля его вонючую колбасу ааааа Касперль Касперль! Дети вы обратили внимание язык приклеивается к гортани у любого случайного гостя и особенно у этого вечно жаждущего злого великана и тут я спускаюсь наконец на берег голубого Дуная во воды сколько говорит великан а ему этому злобному великану я сейчас написаю на голову дети ха-ха-ха-ха! Голубой дождь брызжет вниз на жаждущую землю. Жаждущий смеясь освежается благословением пришедшим сверху. Спасибо Касперль было вкусно я освежился а теперь отдай мне фей никогда великан правда дети мы никогда не отдадим фей великану он разорвет их просто на половинки & на четвертинки нет Касперль мы защитим фей. Касперль и сам-то был вполне симпатичным парнем только вот зубы у него немного торчали вперед.

Он и стенографировать научился ого дети что же там такое к нам приближается как мило да это ведь начинающий учитель по имени Касперль и как раз его великан скоро съест понял да великан сожрет учителя потому что этот самый Касперль насрет великану прямо на голову вот так оно всегда и происходит феи в своих воздушных гамачках опять обретут равновесие и свою всегдашнюю жизнерадостность после того непостижимого внутреннего беспокойства которое было вчера.

Но Касперль мало-помалу начинает постанывать от боли в мышцах великан не продолжает свою прерванную прогулку под оживленные благодарственные речи притесненных. Неделя прилежного труда последовала за этими веселыми праздниками Касперль целенаправленно несмотря на то что юность

126

свою он провел с большим толком в радостной стране Австрии с самого начала напряг свой гигантский конец его верность долгу в качестве образца для подражания распространилась и на несколько более субтильных фей которые покачивались там наверху и вся эта компания наверное так и сидела бы поныне в вышине если бы Гретерль в поисках новой шерсти для гульфика Касперля не забрела в волшебный лес и тогда если описывать все трезво и точно произошло следующее.

Ох дети что я вижу Касперль Касперль что случилось дети там Гретерль скрутч вииии кнак кнак шлюк. Аааааааааааааааааааааааааааааааааааааа!

(Дело в том что когда Касперль увидел Гретерль его конец автоматически упал вниз все эльфы и феи плюх-плюх свалились вниз великан разорвал нежных фей надвое на2 дети громко закричали началась суматоха уловки Касперля оказались напрасными.) Касперль по возможности и после того как гульфик был довязан до конца избегал оставаться с Гретерль наедине ему было слишком стыдно Гретерль же делала вид будто ничего не замечает и когда она однажды застала его одного то стала называть его на ты с милой непосредственностью. Он частенько убегал от Гретерль. Какой все-таки счастливый человек этот Касперль при всей своей легковесности я так завидую его жизнерадостности Гретерль задумчиво смотрела вслед убегающему.

33. ТЫ С УМА СОШЕЛ
ТЫ ВООБЩЕ ПОНИМАЕШЬ ЧТО ГОВОРИШЬ

Ты с ума сошел ты вообще понимаешь что говоришь. Штефан прекрати вот посмотрите и пусть это будет для вас единственным предостережением. Не тягайтесь с людьми которые понимают в таких вещах больше чем вы. Озорное лицо Белого Гиганта за секунду так побледнело что даже Штефан который никогда ничего не замечает заметил эту бледность неужели наша запретная братская любовь так на тебя подействовала тут же спросил он. Но вожделенное внутреннее напряжение отсутствовало он грубо теснил брата когда надо было идти в утреннюю смену не давал ему умываться читать профсоюзную газету отобрал заслуженный перерыв на пиво разминку мышц.

И тут Касперль детина с последней парты разрушил эти прекрасные планы он как обычно вмешался схватил бедняжку поперек талии побежал в соседнее помещение где видимо была спальня а теперь его почти целиком занимал Человек-летучая-мышь в мундире с которым произошло внезапное превращение когда его соколиный глаз под полумаской решал глядя сквозь узкие прорези кого брать под защиту. Оцепенение спало с него голова и плечи поникли. Касперль и Белый Гигант с веселым гиканьем неслись сквозь ослепительное сияние фирна слушая скрип ледяных глыб на бескрайних просторах Альп а голову и плечи уверенного в себе Человека-летучей-мыши известного путешественника они затащили в свой грузовик-универсал. Тогда и Человек-властелин стал принимать участие во всеобщем подшучивании и хотя его остроты были беззлобны чувствовалось что нанести обиду он все-таки хочет обстановка была напряженной как никогда. Напряженка просто висела в воздухе но она сделала свое дело: теперь они уважали и признавали друг друга а команда уважала их.

Карета скорой помощи въезжает через портал с псевдогреческими колоннами 200 м катится по ровному гравию мимо пальм кипарисов эвкалиптов и с мягким толчком останавливается перед входом в главное здание. Затем все происходит очень быстро носилки с Пасхальным Зайцем на каталку и в приемную хирургического отделения удаление истерзанной залитой кровью одежды наконец осмотр меры по поддержанию кровообращения затем доставка в рентгеновский кабинет. Старый Пасхальный Заяц у которого жизнь уже позади которому нечего больше ждать кроме беззаботной старости в награду за долгие годы усилий и трудов ради своих близких который честно заработал отсидел свою пенсию на котором нет вины который не делал ничего неправедного он теперь окружен заботой его балуют вокруг него все толпятся но молодежь больше всего страдает от проблемы поколений в особенности от того что ее не ценят по-настоящему она никто в глазах старшего поколения просто немытые бунтари если кто-то из нас заболеет то пусть подыхает вас это не заволнует вам бы только избавиться от нас вам старшему поколению вы истребители.

Пока старый Пасхальный Заяц лежит в своем гипсовом гнездышке на мягкой подкладке аппарат подачи наркоза тихонько и ритмично шипит он дышит за пациента по имени Пасхальный Заяц он думает за него яркий свет операционных ламп не образуя ни малейшей тени бьет прямо в спину пациенту падает на это уже подготовленное операционное поле в районе позвоночника на стерильные салфетки прикрывающие все его тело. Он за рулем автомобиля ситроен дэ-эс полный кабриолет. Пасхальный Заяц утопает в огромных кожаных сиденьях он держится прямо и моложаво несмотря на стальной корсет и пуленепробиваемый жилет. Молодых людей которые целятся в него приготовив разрывные пули ножи катапульты камни пивные бутылки автоматы которые оглушительно орут свои бунтарские лозунги он лишь окидывает презрительным взглядом. Музыку давайте говорит он проигрыватель или что-нибудь такое. Меня зовут Пасхальный Заяц мое дело не сторона я отец Инге.

СЧАСТЬЕ И ЗАЩИЩЕННОСТЬ: их может дать только семья. И не обязательно именно мужчина берет инициативу в свои руки. Мы мужчины в общем-то не против чтобы наши жены иногда что-нибудь предлагали сами. Если вы спросите какая любовь мне нужна я отвечу такая какая была у меня все эти двадцать лет. Никто из нас об этом не говорит но мы понимаем друг друга без слов достаточно знакомого нам обоим жеста: когда моя рука тихонько на ощупь находит его руку и я чувствую нежное и трепетное ответное рукопожатие когда мой взгляд встречается с его понимающим взглядом или когда он почти робко (робко) гладит меня по волосам. Но молодежь в этом ничего не смыслит им всегда нужно только одно.

Но Пасхальный Заяц уже обхватил за стройную талию юную полукровку молодую полукитаянку которая сияла своей милой сердечной улыбкой и с неотразимым видом начал кружить ее в вальсе по комнате даже Ринго и тот не мог налюбоваться на ладную пару а Ли которая в свободные часы любила поспорить с ним на политические темы на этот раз одарила его лишь рассеянной улыбкой. Собственно говоря Отто был против того чтобы его повидавшая жизнь дочь в ее-то возрасте посещала вечернюю школу но раз уж на то пошло и его дочь проявила неожиданную жажду знаний то он определил ее в ту школу к которой испытывал доверие. Посмотрев на мир открытыми глазами он задался вопросом относительно вечерней школы: кто больше зарабатывает тот кто ее окончил или же тот кто не учился. Вы сможете тогда поступить в университет если захотите или стать потом бухгалтером программистом специалистом по отопительным системам по кондиционерам и т. д. и т. п. выбрать что-нибудь поближе к практической жизни то чему легко научиться. Правда ли это. Тысячи людей до него задавали себе этот вопрос. А потом все-таки учились дальше. Сегодня они счастливы что так поступили. Они занимают более высокие более ответственные должности. Больше зарабатывают.

Пусть это были не все причины из-за которых такая вот особенная такая ухоженная полукитаянка бежала из восточной зоны на запад но они сделали свое дело. Кем работала Ли после своего бегства в Федеративную республику на свободный запад после своего бегства в Федеративную республику на свободный запад она работала официанткой в одном крупном западногерманском городе в Рурской области в центре у нее была вполне привлекательная женская профессия когда женщина просто кусок дерьма она беженка изгой отброс.

Лучи вечернего солнца пылали на цветной полосатой маркизе двое прилично одетых менеджеров заказали виски со льдом и содовой их элегантные костюмы в тонкую полоску и сорочки сшитые на заказ выдавали в них тот сорт людей который внушал отвращение Ли и ее друзьям словно не замечая явного отвращения девушки они ухватили ее за попку и сунули руку в глубокий вырез блузки с ловкостью свидетельствующей о большом опыте. Дрожь пробежала по нежной желтоватой как драгоценная старинная бумага просвечивающей коже девушки она ощутила безграничное отвращение ей постоянно приходилось вынимать грязные мерзостные пальцы этих свиней из глубокого выреза своей блузки с ловкостью свидетельствующей о большом опыте. Ее черные волосы отливали синевой. Непривычная внешность на фоне этих светловолосых холодных северян но зато какая привлекательная. И тут ее взгляд останавливается на опустившемся одетом с гениальной небрежностью пьяном вдрызг мужчине в котором даже издали узнаешь человека из мира искусства это только что выпущенный из тюрьмы продюсер и гениальный режиссер Бен Чандер. Едва взглянув друг на друга оба в мгновение ока понимают что они изгои отвергнутые человеческим обществом буржуазным миропорядком но в то же время они оба гораздо одареннее чем все эти люди и поэтому у них есть обязательства под грузом этих обязательств Ли дремала лежа в постели.

И только сегодня она встала сразу после обеда. Когда медсестра как обычно вошла к ней в три часа Ли сидела в кресле у окна. Она кивнула. Сегодня впервые после того как она оказалась в больнице к ней придет посетитель. Бен Чандер ее жених. Он пришел в половине четвертого. Сияя вошел он в палату дверь которой ему открыла сестра. В руке он держал большую коробку конфет. В своем сером костюме он выглядел очень элегантно. Он был лишь слегка под хмельком.

Старый Пасхальный Заяц дернулся с невероятной силой боль вздыбила его вверх словно горящий факел острыми передними зубами он перегрыз шнур звонка погоня вечная погоня. Быстрее быстрее быстрее на это уходит много сил и тем больше чем хуже нервы. Посудите сами ну почему в наши дни все такие вечно разбитые раздраженные и усталые. Требования современной жизни высоки слишком высоки. Пасхальный Заяц скосил глаза так что видны были только белки ужасающее зрелище юные бунтари в испуге отпрянули назад и даже отъявленные скандалисты и крикуны подавленно смолкли перед человеческим страданием которое переносил & терпел с таким достоинством человек и при этом сохранял радость в сердце (всегда хэппи-сердце) они поневоле смолкли потрясенные да и громкая музыка Beatles здесь в тихой больничной палате с беззвучно шмыгающими туда-сюда медсестрами совершенно не к месту здесь страдает человек такой как ты & я один из серой анонимной массы но тем не менее он велик в своем переносимом им с достоинством страдании все прочее второстепенное должно смолкнуть перед этим мужественным человеком. Робко и смущенно прощаясь молодые пока не обремененные мыслями люди которые в глубине души ничего плохого не хотели как это зачастую можно подумать видя внешние проявления один за другим стали выходить из палаты. Последний взгляд который бросил на них Пасхальный Заяц говорил я прощаю вас вы молоды и неопытны кроме того вы не были участниками войны как я и поэтому не получили закалки.

Бен Чандер до сих пор еще стоял на коленях у постели он был абсолютно трезв он склонил свое благородное лицо обрамленное длинными кудрями бунтаря волосы прикрывали воротник расшитой куртки хиппи в нем сразу чувствовалось что-то от главаря ворот мягкой шелковой цветастой рубахи весь усеянный революционными значками обнаруживал следы грязи как будто ее давно не стирали. Темно-голубые глаза унаследованные от матери-немки казались на фоне темно-коричневого сильно загорелого сурового лица до странности светлыми и прозрачными. Он тихонько засмеялся да так искренне так задушевно как смеются только дети.

Три голубых солнца абсолютно доминировали в пейзаже. Каждое из них превосходило земное солнце по яркости в десятки тысяч раз. Словно горящие глаза неземного чудища они смотрели с экрана заставляя бледнеть соседние звезды. Хельмут невольно содрогнулся. Он понял что он и его храбрые товарищи оказались первыми кому довелось видеть эти солнца. Как они назывались? Кто дал им имена? Каким чужим расам (чужим расам) служили они опознавательными огнями во время дальних перелетов по окраинам чужой галактики? Когда-нибудь каждый мужчина должен узнать где его дом Бен в свои 23 года теперь это знал. Сын мой думает Пасхальный Заяц смеясь сквозь слезы. Сын мой.

Пасхальный Заяц смотрит на Бена и оба знают: они избежали проклятия. В этот вечер немножко раньше времени погруженный с легкой руки одного человека в сияние рождественских свечей человека который обрел одного сына и потерял другого во имя счастья других людей.

Десятилетиями Пасхальный Заяц что из Зётерна (округ Санкт-Вендель в земле Саар) участвовал в розыгрышах разных лотерей и в викторинах пытал свое счастье но напрасно. Теперь же на 71-м году жизни богиня удачи Фортуна смилостивилась над любезным пожилым господином из ухоженного особняка в занесенных снегом предгорьях горной цепи Хунсрюк и отвалила ему подарочек из своего рога изобилия: господин Пасхальный Заяц выиграл золотую хозяйственную сумку нашей редакции. Теперь пожилой счастливчик проводит всесторонние испытания насчет того можно ли в этой сумке на самом деле носить хозяйственные грузы. Это было для меня большой радостью говорит он в благодарственной речи. Я буду продолжать участие в лотереях и надеюсь опять выиграть.

34. ЛЕВ ДЛЯ ХЕЙНТЬЕ

Второй приз от Радио Люксембург вручается Александеру и Юргенсу. Радио Люксембург награждает сегодня своими знаменитыми львами самых любимых певцов и самые любимые песни второго полугодия 1968 года. По решению радиослушателей и жюри состоящего из профессиональных журналистов золотого льва от Радио Люксембург получает Хейнтье за песню «Хайджи-бумбайджи». Серебряного льва из-за совпадения в очках получают сразу двое: Петер Александер с песней «Подходи и угощайся» и Удо Юргенс за суперпопулярную «Матильду». Бронзового льва от Радио Люксембург получает Фредди за песню собственного сочинения «Твой мир мой мир».

35. ДЫХАНИЕ БОЛЬШОГО БЕСКРАЙНЕГО МИРА

Дыхание большого бескрайнего мира веет в эти недели над заснеженными альпийскими деревнями. Потому что богатые и знаменитые устремились в снега и горы. Они ищут покоя отдыха удовольствия и занимаются здесь спортом. Принцы и политики миллионеры и кинозвезды ищут зимних радостей в Альпах. Ингеборг и здесь развела огонь в камине. Она то и дело подходила к зеркалу и разглядывала свое лицо. Вернулась та гладкая серебристая красота кожи которую Роланд так любил. Волосы снова обрели свое светлое сияние а фигура стала гибкой как раньше. Ради него я должна быть красивой сегодня ночью и нежной я должна заставить его забыть о том что нам предстоит а именно водонепроницаемое задраивание крепеж & кювеляж.

Он видел как поднимаются коричневые веки с длинными ресницами как возвращается сумрачный взгляд девушки Отто из давнего далекого сна. Доктор Отто Чандер распрямился откашлялся и все же его голос звучал хрипло он справится опасность миновала. Той же ночью Отто заказала разговор с Танжером чтобы поговорить с мужем.

Жидкий свет едва пробивался сквозь щели рассохшейся двери падая на вонючую соломенную подстилку это была старая конюшня в старом южноамериканском гарнизоне зной струился с колокольни собора Святой Марии несся звон gun fighter в старом австрийском military look лошади одна за другой падали от теплового удара.

У Отто часто возникало странное ни с чем не сравнимое чувство что его непомерно длинные ноги проникают сквозь байдарки грузовики телефонные будки писсуары кабинки для переодевания беседки микроавтобусы концертные залы и бесследно исчезают поэтому он частенько убегал за город судорожно удерживая свои обе сверхдлинные ноги от фокусов. С таким бурным темпераментом ему было значительно сложнее чем другим служащим справляться с повседневными мелкими проблемами со смесью страшного напряжения и ужаса он часто & часто наблюдал как его сверхдлинные ноги стремились обрести самостоятельность угрожая убежать подальше от повседневных мелких проблем других служащих. О чем ты спрашиваешь я тебя не понимаю. Тебе придется вернуться слышишь Штефан другого выхода нет. Приходи как можно скорее пожалуйста приходи. Я жду тебя. Приходи так быстро как невозможно себе представить. Хозяин рассказывал обо всем на свете о разных местных делах. А теперь вот Отто! Ведь его отец был самым любимым врачом почти в каждом доме лечил от всех болезней а его забавного мальчонку Отто все знали сызмала. Вот и Отто теперь рассказывает обо всем на свете. Какого-то галантерейщика он угостил парой рюмочек шнапса чтобы тот его слушал американцы тогда добрались до самых недоступных мелких горных деревушек жители героически оборонялись против неодолимой сверхдержавы.

Какой наклонной внезапно стала земля! Хорошо еще что я за что-то держался сказал потом Отто самому себе.

Тогда он увидел красноватое свечение за разбитыми окнами столовой. Огонь! Молодой казак Ринго в живописном ярком мундире проскакал с саблей на боку по дымящимся обломкам подхватил белое окровавленное тело молодой женщины и глянул в ее угасающие голубые глаза на ее длинные распущенные светлые волосы на ее жемчужные зубы и яркие темно-красные приоткрытые губы на ее телеса на свой мушкет.

Слабо освещенная обставленная в духе слегка уже поблекшей элегантности конца девятнадцатого века столовая была почти пуста. Отто протянул руку чтобы взять ключ и замер на полдороги. Два глухих удара последовали один за другим и корпус судна задрожал. Что-то сорвало с полок посуду она посыпалась на пол звон битого стекла. Наверное здесь не было ни одного человека который не взвалил бы вину за такое бурное отправление на старого адмирала.

Постоянные нагрузки которых требует современная повседневная жизнь приводят к тому что все больше людей в расцвете лет чувствуют себя измотанными и обессилевшими. Для современной женщины не существует 40-часовой рабочей недели она не знает отдыха. Досрочные признаки старения все в большей мере становятся обычным явлением. Эти и подобные успокаивающие слова произносил лихой лейтенант Ринго обращаясь к девушке которую он спас из огня Отто переводил бессмысленный взгляд голубых глаз с одного на другого. Ноги стонал он мои ноги! Со смесью страха ужаса и смятения смотрю я как мои ноги проваливаются сквозь штанины тренировочного трико и исчезают. Почему они не лежат больше во вьетнамском окопе завершил Отто свой вопрос и его голос был исполнен упрека. Вот почему ответил бородатый Ринго и постучал костяшками пальцев по своему протезу который начинался у бедра.

Тело молодой немки казалось сделано было из мрамора и огня Ринго в кои-то веки опять успел вовремя. Где же где приложить мне к этой глыбе мрамора свой резец спрашивал он себя.

Неподвижно сидит Пасхальный Заяц в своем кресле широкоплечий сдержанный волевое лицо словно высечено из алебастра. Пасхальный Заяц Мойренховен возраст 71 год индустриальный капитан из Дюссельдорфа: строительная техника прокатные станы вагоностроительные заводы. Пасхальный Заяц Мойренховен владелец трех импозантных вилл на Нижнем Рейне в Зальцбурге в Сен-Тропезе. А Ринго его молодой отчаянный личный пилот охранник и секретарь. Он крепкий парень с железными нервами а чувства у него как гранит но все же этот полет из Зальцбурга на Лазурный Берег уже в печенках у него сидит. Здесь в зальцбургской глубинке люди испокон веку были кристально честными.

Старый капитан Эсперансы вскочил первым. Стул под ним с грохотом опрокинулся. Где-то в глубине раздался женский крик. И потом Ингеборг увидела как оглушительный взрыв который казалось разламывает корпус корабля пополам вырвал из рук молодого лейтенанта рукоять тормозного устройства с ременной петлей. В то же мгновение и она сама почувствовала как гигантский кулак обрушивается на нее и швыряет через весь зал как бы то ни было а я почти целый год просидел в окопах во Вьетнаме примиряюще словно он сержант Пеппер ответил бородатый Ринго.

Он подхватил восковое тело молодой немки под мышки и зигзагом помчался среди рушащихся с воем балок и детонирующих взрывов в Венский лес где занимали лежачую позицию ноги Отто. Этого быть не может это какое-то наваждение подумал Отто.

Однако он ничего не мог поделать со своим лицом и совершенно излишняя краска снова горячей волной прилила к щекам.

Этот ресторанчик был одним из самых уютных в старой части Вены. Он был разделен на кабинеты отгороженные друг от друга увитыми искусственной лозой ширмами и висячими светильниками. Трое музыкантов негромко наигрывали традиционные мелодии. Из больших окон открывался вид на пульсирующую снаружи привольную жизнь вечернего мегаполиса неоновая реклама отражалась в мокром асфальте. Ноги Отто опять проявили независимость и в данный момент забравшись на самый верх наслаждались оттуда морем огней. Им однако приходилось вести себя честно хотя бы по отношению к самим себе. Отто при расставании попросил их по крайней мере во время отпуска который он собрался провести здесь в Вене почаще совершать вместе с ним пешие прогулки за город но они не восприняли это всерьез. Ноги Отто погрязли в какой-то мешанине из посредственных развлечений и непонимания и управляли собой сами.

Медовоглазая темнокожая юная негритянка провела Пасхального Зайца в гостиную на вилле в Вашингтоне. В открытом камине полыхал огонь освещая негритянское лицо сидящего перед ним мужчины и придавая этому лицу оттенок бледной бронзы. В очень темной жилистой руке мужчина сидевший прямо перед огнем держал бокал в котором искрясь покачивалось хорошее красное вино. Good evening mг отец цветного олимпийского спортсмена Отто. Только теперь старик поднял глаза. Враждебность мелькнула в его взгляде едва он увидел белого.

Грузовой универсал с амштеттенскими номерами весь был покрыт толстым слоем грязи воспаленные от бессонницы глаза Отто горели огнем он не спал три дня и три ночи и теперь произнес следующие слова: и клянусь тебе что ты никогда меня больше не увидишь. Для меня это такое же несчастье как и для тебя но ты сам так захотел. Если бы ты только держал язык за зубами если бы ты только... Штефан если с этого момента ты оставишь меня в покое то я уйду отсюда прочь но только один. Он снова кивнул.

Даже днем можно сказать средь бела дня Отто видел как его ноги внезапно в большой спешке бежали через улицу шныряя между машин со смесью ужаса страха и отчужденности он в таких случаях всегда невольно спешил за ними и от этого весь исхудал как мальчишка. Это были картины ужасов для непривычного к войне крестьянина из глубинки.

Вы на машине сюда добрались спокойно спросил Отто но каких усилий стоило ему это спокойствие. Разговорчивый Ринго в любом случае рад был обществу подвернувшемуся ему во время прогулки.

36. (СЕРИЯ 8) ЭРИКА УБИЛА ОТЦА ОТТО ЗАСТРЕЛИЛ ДРУГА

Доказательством тому что существуют женщины-убийцы с белыми как молоко лицами служит история 14-летней Марии из Зюдлоэ в Нижней Саксонии (Федеративная Республика Германия). В октябре 1966 года девочка которая проживала вместе со своим отцом в доме на окраине города познакомилась с молодым человеком. 20-летний заготовитель торфа О. увязался за малышкой когда она шла по улице. Мария обернулась и засмеялась. Смертельная бледность покрыла лицо ее отца жемчужинки пота выступили у него на лбу мучнистая бледность медленно поползла по старческой шее и разлилась по лицу на верхней губе тоже выступили капельки пота глаза на неестественно бледном лице казались еще темнее & грознее он с трудом облизал дрожащие губы в самую последнюю секунду он успел еще подавить в гортани крик ужаса он надел старые штаны горного проводника старые сапоги с боковыми швами гетры теплый жилет военную рубашку форменную куртку фуражку горного стрелка закинул за плечи рюкзак и стал сноровисто подниматься на горный массив. Персональный пенсионер.

Уже через несколько дней у них началась интимная близость. О. заманил девочку в близлежащий сарай и с этого дня Мария и О. не расставались. Они стали сексуально зависимы друг от друга. И если сначала 20-летний совратил девочку то теперь 14 (!)-летняя Лолита добилась полной власти над другом и превратила его в своего раба. Он делал все что она хотела он даже застрелил ее отца прежде чем она убила его. Турок вплотную притиснулся к расщелине в скале и пока он искал выход чтобы помочь своему другу в его смертельной схватке с Хонкером в этой стойке на полусогнутых почти на корточках все его мышцы и в особенности его кошачья ловкость и увертливость были на виду можно было прекрасно оценить эту грацию стройного охотника. Отто лежал на кушетке неподвижно но в одежде. Запах дешевого спиртного самокруток жилетов гетров сапог с боковыми швами армейских курток длинных подштанников штанов горного проводника фуражек горного стрелка исходил от него. Мария и О. вели себя почти как дикие звери. Позже на суде 14-летняя девочка показала: О. мне понравился. Фигура понравилась и вообще как он себя вел. Он был совсем не такой как другие ребята которые за мной увивались. Он не занимался болтовней он дело делал. И это слова из уст 14-летней девчонки!

Боже праведный это стоит целой жизни проведенной в Сибири. Отто сидел перед телевизором и приказывал своей дочери пролезть в отверстие всякие там поцелуи сигнальные выстрелы духота идти за ним в огонь & в воду и все это сначала на коленках потом лежа. Мария была из тех кто резко возмущается и ропщет против авторитетов. За веселыми праздниками шла неделя усердного труда. Когда получалось Мария восставала и роптала против авторитетов и говорила только слово дерьмо по поводу отцовских жилетов гетров сапог с боковыми швами армейских курток длинных подштанников штанов горного проводника фуражек горного стрелка целая жизнь в плену в Сибири во время мировой войны. Уже около 5 утра они каждый день встречались и шли в лес. И поскольку во время пасторальных развлечений им то и дело мешали туристы и дети они выкапывали в лесу норы и прятались в них. Когда позже полиция стала обследовать и обыскивать их укрытия всюду были обнаружены бумажки от конфет пивные бутылки консервные банки и пустые пачки от сигарет. Все свидетели видели этих двоих только тесно обнявшимися.

Некоторая мания величия проявилась у него еще до несчастного случая но после него она неимоверно возросла. Первоклассной палаты ему было мало. Он требовал палату в которой обычно размещали четверых пациентов и соседнюю палату по его просьбе тоже не занимали на всякий случай. Деньги были его кумиром. Все можно было купить за деньги и всего достигнуть. Он любил завоевывать сердца людей щедрыми подарками. Старшей медсестре он подарил мебельный гарнитур для гостиной ночной сестре холодильник санитару полный спальный гарнитур. Но когда он узнал про свою дочь и про этого парня он тут же постарался сделать все чтобы их разлучить. Он не без оснований боялся что из этой связи может получиться большое несчастье. Он не понимал молодежь и был вообще непередаваемо отвратительный тип и другим с ним приходилось несладко он пинал свою дочь в живот бранился как последний извозчик вел себя разнузданно дома терял всякие границы он был владетельный князь знатная особа. К тому же у этого избалованного жизнью человека было еще несколько дней времени. Турок **решил повернуть в ущелье реку чтобы спасти жизнь другу которого хотел погубить Хонкер.** Невероятно **быстро летит он прочь как на крыльях но стоп второй Хонкер еще больше первого!**

Турок должен бороться если он не хочет бросить друга в беде.

Однажды Мария обнаруживает что у нее будет ребенок. Отец девочки вне себя. Он требует от дочери: от ребенка избавиться и с этим твоим другом ты больше никогда не увидишься. Вы же ведете совершенно распутную жизнь я сообщу в полицию. Уже в тот же день Мария осыпает своего О. ласками и убедившись в его полной зависимости от нее говорит с непостижимым хладнокровием: мой отец настроен против нашей связи. Он хочет донести на нас. И тогда ты больше не сможешь быть со мной вместе. Есть только один выход: ты должен его убить. Расправься с ним иначе ты потеряешь меня.

Отто почти не удивляется когда позади второй сферы мироздания обнаруживает третью и вновь это целый замкнутый в себе мир. Здесь все погружено в кроваво-красный свет здесь тоже высятся горы на сотни километров вверх словно их основное предназначение служить опорой для зеленого мира и надежно отделять его от красного. Шпионский взгляд Отто проникает и дальше. Еще один мир всплывает между третьей и четвертой сферой. Это мир СМЯТЕНИЯ погруженный в желтый свет и пронизанный бледно-голубыми сполохами неистового огня. Он не удерживается в своих границах. Он пронзает и четвертую сферу.

В коридоре гаснет свет они стоят в темноте. Мария стучит в дверь. Прошуршала какая-то газета. Мария не потерпела никаких возражений. Ее взгляд магически прикован к двери за которой ее отец. Она не знает его она утратила все воспоминания о нем. Как он сейчас выглядит после стольких лет плена в чужой беспощадной стране? Отец сам виноват в своей ужасной судьбе.

Отец говорит она взволнованно и потрясенно. Были ли это секунды или это была вечность? Она чувствовала как отец обнимает ее обеими руками как она сама не выпускает его словно после долгого путешествия прячет голову у него на груди ища отдохновения после долгих блужданий.

Хельмут закутывается как следует только кончик носа торчит из-под обмотанного вокруг головы шарфа. Он полной грудью вдыхает терпкий морозный воздух. Потом глубоко дыша продолжает подъем на вершину.

У Рекса нет желания ни работать ни развлекаться. Это совсем не типично для непоседливого внука живой нрав которого всегда восхищал бабушку. Он вновь и вновь засовывает в Конни свой конец. Хонкер тащит Турока в свою пещеру. Его друг садится на корточки и поет одинокую погребальную песнь тело у него тоже очень красивое хотя формы его не столь совершенны как у героя Турока.

Отец говорит она взволнованно и потрясенно. Дочь моя девочка моя. Он беззвучно плачет. Наплакавшись он притягивает ее к столу берет за плечи и рассматривает уже вблизи. Она очень похожа на него внезапно он это понимает. И это наполняет его счастьем. Это мой жених сказала она О.

Он кивнул молодому человеку но все равно не мог глаз оторвать от дочери. Я так благодарен тебе сказал он что ты пришла Мария.

Облегчение еще предстоит.

В ужасном испуге Турок который не понял шутки переводит взгляд с одного на другого.

В ужасном испуге Турок который не понял шутки переводил взгляд с одного на другого.

37. МЫ ПОНИМАЛИ ДРУГ ДРУГА

Мы понимали друг друга без слов с первого дня. Через три года родился первый ребенок. Мы совершали прогулки в горы лежали одни на ярких цветущих лугах. Наша любовь росла с каждым годом. Вот уже сорок лет длится наш счастливый брак. При всей красоте отношений я высказываю ему все как на духу если он в очередной раз забывает свою вставную челюсть у меня в трусах. При всей красоте отношений я человек который свое мнение при себе не держит.

Я опять нашла подходящий момент чтобы сунуть свою светловолосую голову в приоткрытую дверь. Good morning!

38. ХЕЙНТЬЕ ПОСТРОЙ ДЛЯ МЕНЯ ДВОРЕЦ

Вильма: Хейнтье построй для меня дворец (метроном 17 см). Совершенно очаровательный поднос с подарками ко Дню матери. Очень миленькая парочка дерзкая Вильма и маленький Хейнтье со своим потрясающим мальчишеским тенором. Познакомится ли Хейнтье когда-нибудь со своей Вильмой действительно ли построит он для нее дворец неважно одно известно совершенно точно: музыка всегда будет для этих любимцев публики темой номер 1 во всех их разговорах. Надо надеяться что эти дети не начнут конкурировать друг с другом. Это было бы очень жаль.

Мать Отто стояла в тени лестницы большая толстая из низших социальных слоев и темнокожая неужели Отто действительно не мог видеть свою мать потому что она стояла в тени ожидая начала телепередачи она которая хотела сделать из Отто молодого врача молодого инженера или адвоката она стояла в тени ее никто не замечал даже если она хватала за ноги прохожих как кусачая собака неужели Отто действительно не мог видеть свою мать так как она стояла в тени а детка? Can't you see your mother standing in the shadow?

Иногда Отто казалось и сам не знал куда ему девать свою молодую удаль и тогда мать только сокрушенно качала головой опасаясь что он попадет в дурную компанию тот кого она вырастила страдая терпя лишения кого родила этот Отто частенько хвалил ее за эти заслуги за то что она страдая и терпя лишения родила и вырастила его ах ты моя утренняя свежесть ах ты стрелковое оружие можно было прочитать между строк. Она стояла в тени лестницы большая толстая из низших социальных слоев мечтавшая о лучшем будущем для своего малыша неужели он действительно не мог ее заметить когда она стояла там в тени в темноте болтушка клуша?

Отто знает одно: между двумя полусферами находится мир в котором мы живем. Его внешнюю сторону образует небо того зеленого мира на который он сейчас смотрит сверху. Земля из которой растут горы это внутренняя стенка второго большего полого полушария.

Мама заболела. Каждый ребенок ощущает тревогу когда его мать где-то в тени лежит в постели и не встает. Отто испытывает эту тревогу в повышенной степени. И если он все же был ее малышом ее единственным ее старшеньким ее заботушкой ее сорванцом то даже если он десять раз примыкал к революционерам он все равно оставался ее малышом ее единственным ее старшеньким ее заботушкой ее сорванцом.

Солнце в лучистых голубых глазах Отто казалось внезапно погасло.

Пока карета скорой помощи медленно паркуется у больницы Ингеборг при помощи молодого санитара ставит капельницу с плазмой чтобы поддержать кровообращение. Бутылочка с жидкостью прикреплена к низкому потолку. Пластиковые трубочки тянутся к сгибу руки пациента и в этом месте жидкость вводится в вену. В машине есть и кортизон классическое средство против шока. Ингеборг делает Пасхальному Зайцу инъекцию и внимательно наблюдает за его лицом с которого постепенно сходит бледность а затем начинает разрезать правую штанину из которой капает кровь.

Отто был против войн и против властных структур которые он сотрясал на элитных стоянках он открывал огромные сияющие двери кадиллаков припарковывал машины и получал за это маленькие и большие чаевые при этом его часто охватывал пламенный гнев когда из огромных тачек выходили жирные мужчины с толстыми бумажниками ведя под руку уличных девчонок которых он знал. Он часто говорил этим девчонкам неужели вы не замечаете что эти эсперантисты эти продувные бестии и наши сородичи только используют вас и все они хотят от вас только одного а потом они выбросят вас на помойку вы даже их жен обругать не можете или их детей или прийти к ним домой ну разве что в качестве служанки (служанки) грязь за ними подметать. Но у девчонок на уме попытка подняться по социальной лестнице и они не прислушиваются к словам рыдающего от возбуждения Отто который от омерзения даже чаевые то и дело швыряет прочь. Когда Отто наконец-то подходит к матери вступает в эту тень где стоит она и сообщает ей о запланированной поездке в ГДР она никак не может понять зачем люди хотят покинуть благоденствие запада свободного запада и оказаться в нищете темноте мраке запустении несвободе диктатуре и т. п. несвободного востока. Так что было совсем не просто объяснить матери свое желание. Она знать об этом ничего не хотела как это отпустить своего единственного своего птенчика баловня на чужбину да еще такую опасную. Ведь несмотря на свои 19 лет Отто был по-прежнему младенчиком их семейный фотограф ее Отти как мать его по-прежнему с нежностью называла. Ей предстояло расстаться со своим солнышком которое освещало и грело весь дом. Представить себе невозможно!

Один архитектор схватил уличную девчонку за ногу богатый крючкотвор за другую крупный про-

мышленник из известного клана крупных промыш-
ленников схватил бедную уличную девчонку за голову парочка университетских профессоров вкупе
с аудитором крепко держали ее за непокорные руки
и все вместе швырнули молодое стройное совсем
юное тело уличной девчонки изо всех сил какие со-
хранились в их ожиревших руках на сияющий черным лаком корпус и хромированные обводы кадил-
лака так что рахитичные куриные косточки уличной девчонки хрупнули как спички лопнула на шее
белая кожа проломился затылок и хлынувшая кровь
образовала шикарный изысканный узор на мягкой
обивке сидений на белой кожаной обивке был некий
пленительный контраст в том как элегантные ухоженные господа безупречно одетые швыряют красивую но неестественно белокожую и нежную мало-
кровную девчонку с задворок на пространство черного корпуса машины так что в руках у них остались
только жалкие ниточки. Уличная девчонка которая
приходит к их женам и детям которая вторглась в их
защищенные дома в убежище их защищенных домов которая садилась на мягкие сиденья их автомобилей которая выдвигала свои требования теперь
лежит мертвая и раздавленная где-то в наших кра-
ях. Отто собрал в свой фартук останки уличной девчонки которая когда-то была его первой подругой
и отнес обратно на задворки. При этом он бормотал
угрозы в адрес богатеев и власть имущих которые
по воскресеньям вместе со своими семьями идут
в церковь в белых жилетках а по рабочим дням убивают грабят крадут обманывают и т. п. при этом он
бормотал угрозы в адрес убийц и обманщиков в белых жилетках и с безупречной семейной биографи-
ей. (Кондитер) после напряженного умственного

труда в вечерней школе физические нагрузки были для него очень полезны.

Но что значат все эти дозревающие размышления все представления относительно mother standing in the shadow все мечты о лучшем более прекрасном будущем с гарантированной пенсией и собственным домом по сравнению с жалобными мольбами ласками и облизываниями сына? Ничего не значат все эти дозревающие размышления все представления относительно mother standing in the shadow по сравнению с жалобными мольбами ласками и облизываниями сына.

Она вводит костный трансплантат проверяет нет ли зазора между ним и позвонками чтобы заживление прошло быстро и кость срослась прочно. Потом требует дать ей проволоку с помощью которой трансплантат фиксируется дополнительно но когда она пытается продеть проволоку через подготовленные отверстия обнаруживается что Мануэль Мендоса просверлил слишком маленькие дырки и проволока не проходит. Этого только не хватало.

Между тем Отто обнял мать бурно выражая благодарность. Тени сгустились день клонился к вечеру в окнах один за другим загорались огни за окнами сидели смеющиеся люди счастливые семьи за ужином перед телевизором со шнапсом или пивом свет падает на тень матери которая стоит внизу не там где много света а там где много тени если бы не было света не было бы и тени общество борцов с тенями вооруженное ядовитыми газами и противогазами семья садится за один стол чтобы отпраздновать вечер вечер отпразднован уже столькими семьями что он уже весь истерся и кое-кто поскальзывается на этом вечере как например наш Отто бедняга.

Между тем Отто обнял мать бурно выражая благодарность. Он был сегодня таким же неистовым и импульсивным как раньше когда он был молодым солдатом. Неужели мой старый солдатик так радуется потому что уезжает от меня подальше спрашивает мать полушутя.

Да мама поездка в зону расширяет кругозор путешествия это часть образования. Я хочу порадовать несвободных людей которые там живут своими песнями я хочу чтобы они снова научились смеяться ведь они давно утратили эту способность кто еще научит их смеяться если не я если не мы? Отто чуть было не подпрыгнул высоко в воздух но к счастью вовремя опомнился понимая что такие вот бурные приступы радости не к лицу человеку девятнадцати лет одетому в мундир.

Операционная сестра вложила ей в руку костное шило своего рода ручную дрель с острием конической формы. Ингеборг осторожно вводит шило в отверстия и поворачивает чтобы их расширить. От напряжения и страха сердце ее громко стучит. А вдруг она просунет острие шила слишком далеко а вдруг она повредит спинной мозг подумать страшно. Не дай бог она промахнется этим чертовым шилом хотя бы на миллиметр. Ингеборг на секунду замирает потом работает дальше.

Живая стена из голов торсов тел мешанина из рук и ног надвигалась на Отто. В тенистой темноте можно было разглядеть лишь жирные лица серебристо-серые галстуки белые рубашки и жилеты архитектора крючкотвора промышленника университетского профессора и аудитора. Все прочее сливалось в тени в абсолютно черную поверхность большие автомобили позади них слившиеся в баррикады все это повседневная жизнь Отто.

Все шестеро были обуты в высокие армейские сапоги которыми они топтали как сорную траву все эти заборы веранды жалкие дыры подвалов матерей стоящих в тени молодых рабочих клерков рассыльных секретарш уличных девчонок и прочих убогих. Они казались красивыми (красивыми) и могущественными (могущественными могущественными могущественными) как боги за что их подобающим образом благодарили и славили. Мать с удовольствием пригласила бы их на стаканчик вина но не знала как это сделать да какими словами сказать и жалела только что Отто был без мундира. Но если Отто что-нибудь вбил себе в голову его трудно убедить в обратном.

Дальше путь лежал в университет. Ведь как выпускник полной вечерней школы он обязан был это сделать. Когда Отто выходит на улицу снимает забрызганный кровью мундир моется закуривает сигарету напряжение наконец-то спадает. Он ощущает усталость и гордость оттого что не сплоховал. И с чего это он раньше в себе сомневался. С песнями марширует он обратно в казарму. Can't you see your mother baby standing in the shadow.

Наложение проволочных швов. Надкостница снова поверх позвоночного столба. Послойная сшивка мышц. Замыкающий шов на подкожных тканях. Наконец кожный шов. На рану накладывается повязка. Всё. Всё?

Уличная девчонка надевает новые нейлоновые чулки только на улице у забора шофер открывает ей дверцу среди бескрайних мягких белых сидений она выглядит как досадная муха в большой банке пастеризованного молока и все же она очень привлекательна а тем временем архитектор уже навис над ней крючкотвор под ней промышленник у нее на голове университетский профессор и аудитор устроились между ее рахитичных ног послевоенного ребенка ног всего потерянного поколения ей сообщают правила поведения не смей приходить в мой дом не разговаривай с моей женой и моими детьми не провожай нас глазами на улице не маши вслед моей машине не здоровайся со мной в публичных местах оставь в покое мою жену бэби и детей мой дом мою машину мой телевизор мои деньги мои достижения мою жизнь моих рабочих мои возможности. Она выглядит среди этих гигантских подушек как черная худая муха в банке с белоснежным пастеризованным ледяным молоком. Вот промышленник от души хохочет и тут все начинается. Болтая как старый знакомый он делает девчонке больно везде где только можно. Но сквозь слезы страданий временами все же проглядывает солнышко. Но пока сквозь слезы страданий не проглянуло солнышко промышленник делает девчонке невыносимо больно везде где только можно.

С сомнамбулической уверенностью она делает первые надрезы скальпелем потом безошибочно обкалывает маленькую артерию обнажает выступающие остистые отростки позвоночника затем удаление периоста надкостницы. Отодвигает фасции и мышечную ткань. Обнажает отростки четырех нижних поясничных позвонков потом место прикрепления крестца. Обтесывание отростков.

Вся ненависть (ненависть) молодого солдата Отто против намного превосходящих его слоев общества обратилась однако только против его собственной матери которая теперь очень редко покидает свое место в тени. Ей пришлось расплачиваться за все это хотя сынок у нее был в мундире.

Со сном ничего не получилось. Хорошо что летние ночи коротки и с рассветом надо снова отправляться в путь. Хотя девчонка замечала какое презрение окружает ее со всех сторон она все же ни на мгновение не теряла своего обычного оптимизма несмотря на то что из многочисленных ран сочилась кровь и она лишь с большим трудом могла ползти вперед. Уличной девчонке с большим трудом удалось спрятаться когда промышленник со всей своей празднично одетой семьей садился в кадиллак. Опять повезло. Хотя она лишь с невероятным трудом могла продвигаться вперед она все же не теряла своего обычного оптимизма своего хорошего настроения которое у людей ее породы ее социального класса в любом случае никогда не теряется. Отто потерял свой значок горного стрелка. Он попытался выведать у девчонки что за свинья над ней надругалась. Девчонка не выдала свинью которая над ней надругалась и так ее изуродовала.

Мать была уже неразличима в своей тени она слилась со своей тенью они превратились в единое целое Отто попытался вытащить на свет из тени и уличную девчонку. Со всех сторон на них обрушились поношения и обоим пришлось с ними смириться.

39. НО БЫЛ БУРЛЯЩИЙ ИСТОЧНИК

Но был бурлящий источник с великолепной водой. Он бил в скалах а потом дивными каскадами спускался по террасам чтобы внизу наконец влиться в море. Отто и Мария подбежали к каменной чаше колодца и утолили жажду. Потом они смыли с кожи соль. Настало время позаботиться о ночлеге потому что здесь было не так тепло как в лесу где солнце всегда сияло на небе у них над головой пещера быстро нашлась на острове их было полно. Отто и Мария устроились в пещере по-домашнему подавая пример рыбакам как можно устлать пещеру ветками и листьями. Их жизнь на острове началась.

Даже у малодушных битлз прибавилось воодушевления когда они увидели остров. Они охотно последовали за молодыми людьми и без дополнительного приглашения перепрыгнули узкую полоску темной воды которая отделяла айсберг от острова. Они оказались на голой скале которая соединялась с берегом.

Этой зимой Хельмут с удовольствием ходит в школу Конни расставив ноги боязливо стоит у него за спиной.

Хельмут действительно учится с увлечением несмотря на холод. Ему нужно постараться чтобы потом поступить на медицинский и в перспективе помогать отцу. Когда ставишь перед собой такую цель эгоистические желания должны умолкнуть. Пусть сверкают блестящие коньки пусть манят быстрые санки. Поставленная цель заставляет Хельмута пошевеливаться. В тишине оглушительно гремит выстрел. Конни падает единственная окровавленная пуля у нее под шубкой она падает лицом вниз по-жучьи сучит ногами потом затихает. Хельмут зубрит так что мозги вскипают тут и холода-то не заметишь.

Поверхность планеты освещена светом трех солнц. Сама планета а вовсе не солнца является главенствующим компонентом всей этой конфигурации. Солнца образуют равносторонний треугольник а планета расположена там где пересекаются все три медианы. Конни наш жаворонок занимается этим так долго пока сил хватает Рекси уже не может найти из нее выхода.

40. НО БЫЛ БУРЛЯЩИЙ ИСТОЧНИК
(ПРОДОЛЖЕНИЕ)

Но был бурлящий источник с великолепной водой. Он бил в скалах а потом дивными каскадами спускался по террасам чтобы внизу наконец влиться в море. Отто и Мария подбежали к каменной чаше колодца и утолили жажду. Потом они смыли с кожи соль. Настало время позаботиться о ночлеге потому что здесь было не так тепло как в лесу где солнце всегда сияло на небе у них над головой пещера быстро нашлась на острове их было полно.

Джон Пол Джордж Ринго раскинули крылья и с криками ликования взлетели с поросшей мхами и лишайниками высокогорной площадки словно жаворонки свободно купаясь в вольном воздухе над утесами и камнем упали в пучину бухты где глубоко окунулись в прозрачные зеленые воды чтобы затем снова взмыть в вышину. Их головы среди пены были едва различимы. Хотя скальная растительность была скудна она все же отличалась разнообразием форм. Здесь были ползучие растения которые выглядели как ящерицы и подобным же образом себя вели. Когда солнца не было они уползали в щели между камнями. Но если солнце сияло над горизонтом они выползали наружу и наслаждались теплом.

Джон вскоре выбился в признанные вожаки стаи он вел своих пернатых кирасиров через густой лес самым безопасным путем так чтобы никто не повредил крыльев. Потому что повсюду на пути вставали препятствия и трудно было удержаться когда ступени ведущие в пропасть стали слишком высокими. Когда их глаза привыкли к темноте были нетрудно и тело приучить двигаться в темноте наконец они достигли дна. Джон считал что они сейчас находятся ниже уровня моря в неком большом ущелье заполненном спертым воздухом.

А в другой раз отличился Пол который вывел всю четверку на опушку леса где солнце чертило на земле свои огненные круги и тогда они легли рядышком в траву и зарделись от радости.

Разноцветные гитарные ленты свисали у них отовсюду спереди сзади поперек груди это было буйство красок и форм радость смех и веселье мир все же прекрасен сказал Ринго путешественник нужно только смотреть на все эти красоты открытыми глазами учиться понимать их и уметь находить радость в малом. Вся четверка зашагала по свету с широко распахнутыми глазами и с пониманием рассматривала все красоты и мелочи все кто попадался им на пути с испуганным приветствием старались убраться подальше от этих курортников. Отто жизнь живописца тоже изрядно надоела.

На ничейной земле между лесом и морем нашли последнее прибежище все те деревья которые были изгнаны смоковницей. Они произрастали на опасной почве но приспособились к непривычным условиям и боролись за свою жизнь как умели. Они существовали между фронтами своих беспощадных смертельных врагов. С суши на них наступал безмолвный фронт леса. С воды ползли ядовитые морские травы и прочие чудовища поднимались из неведомых глубин. А надо всем этим светило солнце которое создало все это невероятное разнообразие.

Опасное в природе тоже должно существовать это борьба за выживание вечная борьба в которой может победить только сильнейший со временем выкристаллизовываются властные структуры главарей слой самых усердных которых все уважают боятся но над ними есть еще более мощные силы от которых они должны укрываться как умно все это все-таки устроено в животном и растительном мире нам людям можно многому у них поучиться сказал Джордж Жёлудь. Джон который больше не заплетал свои длинные светлые волосы в две длинные светлые косички и не забрасывал их за плечи а завязал сзади узлом выражал свою радость прыжками и возгласами одобрения. С первым ударом колокола в половине пятого молодой парень с сияющими голубыми глазами в бриджах с рюкзаком за плечами и еще трое молодых парней с гитарами наперевес с живыми полными радости глазами отправились на природу. Секунды превратились в часы.

Им нужно было попытаться забыть друг друга как бы тяжело для них это ни было. Им нужно было по возможности не преграждать друг другу путь. Поскольку Джон опираясь на руку брата Пола с трудом перебирался через мокрые поваленные стволы деревьев и размытые тропы Джорджу не оставалось ничего другого кроме как тоже без церемоний схватить за руку свою сестру Ринго. Втайне же оба кавалера с удовольствием поменялись бы дамами. Узкое лицо Джона странным образом оживлялось когда он говорил. На нем отражалось каждое впечатление.

Но перед ними лежала темнота слоистая как сланцевый массив. В черноте стала различима небольшая гора. Она стояла и казалось несла на своем прорезанном ущельями горбу всю тяжесть ночи. Солнце пока освещало верхнюю часть горы и окрашивало ее в золотой цвет. Казалось что это последняя краска сохранившаяся на земле ведь все что находилось позади было размыто. Путник начал подниматься по самому первому пологому склону горы. Прошло немного времени и цветы вновь попали в зону солнца. Остальные путники находились поблизости. Они не стали останавливаться и пошли навстречу своей неведомой цели.

Даже отчетливо выступившие в последних лучах закатного солнца горы не могли помешать нашей четверке наворовать слив сливы освежили их и пришлись очень по вкусу после долгого тяжелого пешего перехода по берегу Дуная. Пол так достоверно изображал пьяного что не только братья но и другие путешественники и лесорубы попались на эту удочку.

Ринго сделал вид что желает помериться силами с ближайшим деревом. Остальные в ужасе бросились его останавливать.

Дружеский тычок под ребра заставил насмешника заткнуться. Кто-то нечаянно подставил ему подножку когда он не знал что ответить на очередной каверзный вопрос и он озадаченно лежал на земле а товарищи в это время пели ему свои самые новые песни. Меня это тоже привлекает гораздо больше сказал примыкая к этой троице Ринго который отличался изрядной музыкальностью.

Но самым крутым конечно оставался Джон этот бурный поток этот гранитный памятник себе самому.

Тысячи и тысячи кабелей соединяли Землю с Луной по ним то и дело курсировали транспортники рослые астронавты закаленные и невосприимчивые к вредной для жизни среде. Спальным грибом называлось губкообразное быстро разрастающееся растение похожее на жгучий мох. Но как только к нему приближался человек оно втягивало в себя свои ядовитые колючки. Спальный гриб питался не мясом а по преимуществу растительной пищей. В его нутре группа будет надежно защищена от нападений.

Дверь открылась. Показалась кудрявая голова Пола. Вот вы и видите мою кудрявую голову вы молокососы сказал он и щелкнул каблуками оскользаясь на каменистой осыпи и вызывая небольшой камнепад он вместе с камнями поехал вниз и очутился у русских заговорщиков. Помимо интереса к еде и питью он проявлял большой интерес к поп-музыке. Весь пейзаж и разлитое в природе настроение были так прекрасны что у них на глазах выступили слезы. Несмотря на свое новое высокое положение Джон не стал менее болтливым.

Несмотря на свое новое высокое положение Джон по-прежнему болтал как сорока говоря о смысле цели и предназначении человеческой жизни. Пол еще колебался словно не мог расстаться с этим зрелищем. Пол еще колебался не желая расставаться с возможностью созерцать этого почетного проныру.

Транспортник тут же пришел в движение. Сжавшись под давлением воздушной оболочки его гигантский корпус все равно имел диаметр более тысячи метров. Тем не менее он продвигался безо всякого труда и полз вверх по своему кабелю устремившись к надежной вакуумной среде. Он зависал на волосатых ножках вместе с шестью прозрачными коконами в которых лежали в бессознательном состоянии шестеро человек Джон Пол Джордж Ринго Отто и Мария единственная женщина. На высоте в несколько километров он остановился. Его щупальца вибрировали. Он выдул большой воздушный пузырь и прикрепил его на кабеле. Почти сразу после этого он продолжил свое путешествие в космос. Атмосферное давление непрерывно уменьшалось и он все больше вытягивался в длину. При этом скорость движения возросла когда транспортник начал извергать из себя все новые и новые паутинные канаты. Эта реактивная сила и продвигала его вперед. Сильнее стало и солнечное излучение. Транспортник был в своей стихии.

Они оставались лежать совершенно неподвижно втягивая в легкие воздух. От разреженного холодного воздуха им стало лучше. Глаза Джона опять загорелись веселыми искорками. Через некоторое время он смог оглядеться вокруг.

Со смущенными любопытными лицами друзья окружили первую невесту появившуюся в их кругу. Мария первая невеста в их кругу часто совершала попытки втянуть в этот круг и других. При таких здоровенных электриках это было мучением. Таково было развитие мира с его необходимыми социальными противоречиями войнами и разницей во взглядах. Протесты Ринго никакого действия не имели и наталкивались на стену молчания недоверия и неприкрытой враждебности. Как было бы хорошо если бы люди могли договариваться между собой и мирно уживаться друг с другом думал он так же как и мы а длинные желтые усы ползучих растений уже давно пытались дотянуться до него. Ринго в тревоге выпрямился но поблизости не было ни одной женщины которая могла бы его защитить. Надеяться он мог только на себя. Рывком достал он из-за пояса нож и скатился набок. Ползучие плети разрезались легко. С такими врагами несложно было управиться. Они укрылись в ближайших зарослях помогая друг другу идти они не были больше мужчинами плюс одна женщина они были просто люди. Люди. Все различия оказались вдруг забыты.

41. ТЕПЕРЬ ПРИ ЯРКОМ СВЕТЕ ДНЯ

Теперь при ярком свете дня блаженство которое охватывало ее в объятиях Ринго внезапно исчезло. Бесконечный стыд тяжко словно гора лег на ее душу. Но ведь по ней этого было незаметно. Этот переворот в ней был незаметен.

И только если присмотреться к ней внимательнее этот переворот в ней становился заметен. Откуда в них берется это умение так быстро обретать уверенность и концентрироваться чтобы исполнить свою любимую песню они и сами-то толком не знают. Но ведь получается же она у них эта замечательная музыка они внезапно становятся совершенно хладнокровными непререкаемо уверенными в себе абсолютно недосягаемыми. Первое апрельское солнышко заглядывает в постель пасхального зайца освещая разноцветные яйца невероятно светловолосые детки брат и сестра наряженные заботливой мамой в яркие праздничные костюмчики спешат из одного конца сада в другой их красные мармеладные ротики вызывают неизбывное восхищение у сладкоежки-армянина Пола.

Интересно это земляника или малина пытается отгадать армейский солдат Пол волосы конечно из воздушного хвороста глаза из цветного шоколада одежда еще одно произведение кондитерского искусства. И тут отчетливый мелодичный звон отрывает его от работы. Все взгляды устремляются на пасхального зайца сидящего в гнезде четыре пары удивленных глаз над четырьмя защитными светло-зелеными масками из-под четырех светло-зеленых капюшонов из морских водорослей. От испуга у Пола из рук вываливается бараний рог он неподвижно стоит потеряв дар речи и бессмысленно смотрит себе под ноги на сверкающий инструмент.

Все кого Пол на протяжении своей короткой жизни пытался согнуть в бараний рог или загнать внутрь а среди них было немало дипломированных выскочек все они теперь выбрались наружу и приняли участие в создание полуфабрикатов для туристских полуботинок предназначенных для долгого похода. Кроме Ринго Пола Джорджа и Джона никто ничего не заметил подняв воротники прикрыв лицо темными очками надев парики и приклеив фальшивые бороды завернув гитары в толстые фуфайки все четверо глубокой ночью крадучись словно воры сбежали со своей цветочной клумбы. Удобные для быстрого бега мостки быстрые посыльные беглый огонь подвижные гири быстрые жуки-жужелицы бегунки ходунки ходули ходоки ходики ходы ходуном-и-так-далее. Большими скачками эта деревенщина выскакивает из-за деревьев на сцену с примкнутыми штыками и новыми песнями. All together now!

И вновь прекрасный (прекрасный) день принес новые плоды.

42. РИНГО В УПОЕНИИ

Ринго в упоении мечется от одного мимолетного увлечения к другому в поисках исполнения желаний. Исполнение желаний устремлялось от одного мимолетного увлечения к следующему и всегда убегало от Ринго который в поисках исполнения желаний летел от одного мимолетного увлечения к другому оборвав кое-какие украшения со своей куртки янычара.

Ринго в упоении мечется от одного мимолетного увлечения к следующему. Он часто говорит своим мимолетным увлечениям которые он то и дело немилосердно меняет в поисках исполнения желаний вы для меня горстка настоящих проходимцев просто кучка егерей (ужасно жалко).

У Ринго который в упоении мечется от одного мимолетного увлечения к другому появился пресный вкус во рту. Послевкусие. Он часто говорил Полу который в усыпанных блестками плавках соскальзывал с высокой сияющей звезды you moving from a star черт побери давай в конце концов будем честны по отношению друг к другу.

На деревянного Пола сыпались пестрые утыканные блестками старые клячи заварочные чайники лакомства надувая его гафельный парус вздымающийся на фоне мармеладного неба.

Ринго посмотрел на него. И хотя внешне он оставался совершенно спокойным внутри он ощущал всепожирающее пламя отчаяния. Он не был больше смеющимся буйным мальчишкой для которого вся жизнь была одним гигантским перевалом. Казалось с каждой минутой он превращается в мужчину (мужчину) который внезапно понял что когда судьба заносит над тобой кулак можно только склонить голову и покориться.

Когда судьба стучится в дверь. Пол частенько целыми днями все стоял склонив голову а судьба молотила и молотила его по голове его почти никто не узнавал где же тот прежний смеющийся буйный и красивый мальчишка для которого вся жизнь была одним гигантским перевалом. В лесу виден просвет Пол и Ринго проливают свет на светолечение Ринго луч света падает на фотографию Пола светло-голубые глаза Ринго и Пола порождают свет и организуют освещение. Противотанковые войска. Город уже облачился в свой вечерний наряд в тысячах окон мерцают тысячи огней двери открываются чтобы впустить припозднившихся домашних и выпустить любителей вечерних прогулок в темноту машины едут с включенными фарами семья собирается за одним столом чтобы поужинать посмотреть телевизор поболтать детям разрешается еще немножко побыть со взрослыми это час который позволяет нам забыть спешку и суету повседневных дел большой город уже облачился в свой вечерний наряд.

Из тысячи окон 999 огней пламенеют во тьме лишь одно окно остается темным неосвещенным мрачным холодным окно Ринго. Ринго лежит на холодном полу своей муниципальной квартиры и плачет. Вы сытые зажравшиеся богатые не замечаете что одинокий человек рядом с вами пришел в отчаяние что один из целой армии безымянных не может больше так жить. Мы люди живем нос к носу к носу к носу к носу к носу к носу к носу не зная друг друга сплошь одни чужаки в огромном доме если кто-нибудь из этой армии безымянных исчезнет он может недели и месяцы пролежать мертвый неважно утонул ли он в ванне задохнулся от светильного газа умер от инфаркта удавился шнуром от электробритвы перегрелся в домашней сауне его убило током задавило насмерть кухонным буфетом и так далее неважно как он погиб он может неделями месяцами и даже годами (даже годами) пролежать вот так брошенный и никто из этой анонимной массы даже ничего не заметит ибо каждый спешит и поворачивается только ради собственной выгоды чтобы заработать больше чем ему нужно. В такой ситуации Ринго без особой уверенности смотрит в будущее. Ибо в своей борьбе за то чтобы его признали синтезатором светомузыки признали трансформаторной подстанцией он одинок. Теперь у него нет ни одного человека который ему окончательно верен спутника жизни который делил бы с ним радости и горести.

Но для Ринго гораздо больше чем богатство и материальное обеспечение значит обрести наконец человека который подарит ему то о чем он мечтал всю свою жизнь любовь защищенность и признание. И однажды вечером он добивается своего Пол как и был в блестящем бикини спускается со звезды и раздавливает детскую голову Ринго своим манком легко одержав над ним верх этот убийца. В глазах этого мясника стояли слезы. Он был тронут. Но одновременно благодарен судьбе за то что она после стольких горьких лет нужды и разочарований наконец-то послала ему вожделенное счастье жизни такое вот телесное напряжение.

Ринго в этот момент поймал нечаянный взгляд соседа который потряс его до глубины души. Он был до того переполнен ненавистью что Ринго подумал не ошибся ли. Как может его ненавидеть совершенно посторонний чужой человек который живет с ним нос к носу к носу и тем не менее его не знает. Тесные стены комнаты казалось давят на Ринго со всех сторон душат его вот-вот обрушатся ему на голову тишина словно материализовалась все тяжелым грузом давило на его нарыв тишина во второй раз со дня преждевременной смерти его отца набила ему шишку. И еще долгое время после того как сосед закрыв водопроводный кран ушел его мучило одно: этот жуткий исполненный ненависти взгляд. Он подпер голову рукой. Что бы это значило. И если сосед все-таки действительно его ненавидит то тогда почему.

Пол крепко изо всех сил прижал своего Ринго к груди. От волнения он не мог произнести ни слова. Только своей рукой покрытой тонкой сеточкой вен он успокаивающе гладил своего солдата-пехотинца по влажным волосам. На Поле по-прежнему было его звездное облачение но обычная одежда всех граждан тоже была у него наготове чтобы он безопасно смог раствориться среди тысяч съемщиков злопыхателей и консьержей и чтобы никто его постоянно не спрашивал о том о сем не интересовался куда и откуда он идет. Он еще раз набрал в легкие побольше воздуха а потом сделал прыжок и погрузился в серый многоквартирный дом где тысяча съемщиков которые на взгляд такого интеллигентного человека как он все на одно лицо. Но одно Пол знал твердо: он знал где сразу найдет пристанище в случае если его побег удастся. В эту ночь несмотря на снотворное он никак не мог уснуть слишком уж много всякого на него свалилось. В полном изнеможении на пределе сил стоял он около трех часов утра перед домом в котором Ринго Старр занимал элегантную холостяцкую квартиру. Сердце его бешено колотилось. Он нажал кнопку звонка. Никакой реакции. В этот непривычный час все сидели перед телевизорами. Люди сидели перед телевизорами пили пиво и грызли ногти.

Кто их не знает этих Картрайтов неделя за неделей около 400 миллионов телезрителей в 79 странах сидят перед телеэкранами наблюдая за их приключениями. Лорн Грин может записать этот грандиозный успех симпатичной семьи с Дикого Запада на свой счет. Телезрители называют Бонанзу самым любимым сериалом на немецком телевидении. Компьютер подсчитал: 23,89 процента телезрителей за Картрайтов. И это даже не так удивительно как тот факт который неожиданно для себя установили энергетики в часы когда идет Бонанза потребление электроэнергии поразительно увеличивается. По воскресеньям в 17.25 вся Германия охвачена лихорадкой под названием Бонанза. И это означает что никто не откроет Полу даже если он умирает тяжело ранен решил покончить с собой неважно что он сделает все равно ему придется торчать перед закрытой дверью и все его усилия тщетны. И тогда Ринго который давно уже убрал подальше свои звездные штаны вновь их надевает и старается избегать людных улиц словно преступник сторонящийся света дня.

43. ЭММАНУЭЛЬ ПОДХОДИТ

Под вой фабричного гудка Эммануэль походит к воротам в толпе рабочих он почти неразличим такой же потный и грязный. Мальчишкой он никогда подолгу не смотрелся в зеркало а теперь когда он работает у него на это остается еще меньше времени.

И теперь у него уже не мальчишеские тонкие пальчики по руке чувствуется что она привыкла к хватательным движениям.

Лишь на секунду у него появляется неодолимое желание подняться ввысь по поверхности земли поваляться в траве под теплыми лучами солнца подставить свое тело свежему дуновению ветра. Но он быстро подавил в себе этот порыв.

Они с Хельмутом гуляют за руку по заснеженным холмам Хельмут время от времени шлепает его по заднице бьет по лицу и по икрам и тогда вверх вздымается снежная пыль и мирная страна оглашается эхом от воплей воспитуемого.

Сам Хельмут с сияющими глазами точно такого же цвета как его облегающее лыжное трико выглядит так привлекательно что Конни подобная розовой тюлевой подушке устремляется к нему сквозь сыпучий снег. И подобно легкому перышку запорошивает его снегом.

И с ватной нежностью одолевает его и вот он лежит на снегу выставив вверх розовую задницу.

И тогда Эммануэль с пустым урчащим желудком но довольный отправился спать.

Тогда Эммануэль почувствовал как по всему его телу пробежала дрожь.

И только тогда Эммануэль начал раздеваться.

Тогда Эммануэль на несколько секунд закрыл глаза.

Тогда Эммануэль нанес УДАР.

Конни стонет теперь громко не стесняясь втоптанная в снежный надув зеркальными хромовыми сапогами Хельмута. Глупая девчонка с колбасными перетяжками на руках и с шелковой лентой в волосах теперь она украшает ландшафт в его глубине под снегом. Толпы солдат шагают прямо над ней топчут ее орды затянутых в кожу бойцов.

В США вновь начинается жаркое лето черные фанатики опять исповедуют язык насилия. Уличная драка в Кливленде внезапный всплеск расовых волнений уносит 10 жизней. В Соединенных Штатах черные фанатики опять спровоцировали беспорядки. Расовая битва за супермаркет. Такие заголовки на днях всполошили весь мир. Сегодня Америку сотрясает кровавый конфликт между черными & белыми. Действие нашего романа и происходит сегодня. Ингеборг из Мюнхена (21) живет и в муках погибает из-за своей симпатии к цветному американскому студенту ученому и олимпийскому фавориту темнокожему парню Отто О. Крестные муки любви проклятой окружающим миром. Любви полной взрывного драматизма на сценических площадках Мюнхена Вашингтона и Мехико-сити. Станьте вместе с нами участниками захватывающей истории двух сердец романа полного приключений любви родины судьбы актуального романа двух сердец сгорающих в пламени запретного счастья (счастья). Еще один человек вступает в союз друзей ЭМАНУЭЛЬ. Своими большими не по размеру заляпанными глиной сапогами Эмануэль прошагал по развороченной ударами пахотной земле на глыбу льда.

Луна взошла над раненым миром по небу разлилось зарево холод пронизывал Мануэля до костей.

Хельмут человек без костей пружинит и взлетает вверх подтягивает колени к груди вытягивается в струнку приземляется выдумывает новую каверзу это грациозное насекомое. Вновь с жужжанием взлетает сомкнув сияющие чистотой ляжки вокруг пропеллера.

А Отмар с большим удивлением смотрит на своего двоюродного брата который сегодня так нелюбезен с этой телкой Конни. Ведь обычно они ладят друг с другом. Да в блаженные дни молодежных фашистских праздников юнгфолька Конни с ее белокурыми косичками корзиночкой была даже его тайным увлечением и постоянной партнершей по танцам.

Храбрая девчонка даже пытается помешать ему задрать подол своей цветастой теплой юбки но Хельмут плеткой стегает ее по рукам и разрывает в лохмотья ее ненадежное прикрытие. Она принимается умолять его но ее мольбы бессильны против ярости этого сияющего нордического штурмовика. И вскоре все то что она так боязливо скрывала открыто всему миру и освобождено от пут. Уголки губ у Хельмута плотоядно подрагивают его плетка нервно охаживает голую грудь Конни.

Отмар заботливо откидывает слегка вспотевшему Хельмуту светлые волосы со лба и предлагает ему свой растительный жезл для ежедневной гигиены.

На следующее утро они расстаются и расходятся в разные стороны.

Отонто поднял с земли пистолет взвел курок. Считаю до трех сказал он угрожающе тихо. Либо вы разденетесь либо умрете. Итак. Раз два. Эмануэль медленно начинает раздеваться. Приятно иногда как следует откашляться. Никакие шторма не испортят нам настроения. Останется ли все как всегда? Когда-нибудь могут настать по-настоящему бурные дни: позаботьтесь о том чтобы подготовиться к неизбежному. Но мы ведь уже многое умеем. Нас ни штурмом ни атаками тяжелой артиллерии не испугаешь.

Вскоре они втроем стоят в маленькой кухне.

У них есть комната и они уже не какие-нибудь первоклашки а будущие абитуриенты из вечерней школы. Они слушали пластинки Эмануэля с поп-музыкой и ели хлеб с салом запивая сливовицей. Они в основном обсуждали учениц женского пола и способы как можно быстрее положить их на лопатки. Я бы ужасно хотел посмотреть как делают детей и всему научиться обратился Эмануэль к своим одноклассникам которые все как один были старше выше ростом сильнее и опытнее чем он моя тетка точно обрадуется если я принесу ей домой новые кулинарные рецепты. Что ж тогда ты хотя бы знать будешь зачем тебе нужна эта вечерняя школа смеются над ним друзья. Вы можете все трое мне помочь сказала Мария ей нравились эти свеженькие парни. Топ-топ заскрипели шаги по узкой лестнице.

Стук-стук и торс Марии до талии скатился обратно по узкой лестнице. Она недооценила воздействие политических лозунгов Эмануэля. И его способность увлекать других казалось бы бесперспективными идеями кроме того она недооценила его жадность и порочность.

Топ-топ заспешили ноги Марии а где же остальные парни. Одноклассники Эмануэля беспомощно оглядывались в кухне. Им были знакомы только макароны которые дома обычно готовили их матери.

Эмануэль казался усердным просветителям таким несведущим и неловким что в разговоре с ним у них постоянно проскальзывало доверительное обращение на ты (ты). Мы хотим заранее предупредить дорогая госпожа Б. что просвещение нашего брата произошло вполне пристойным образом то есть в форме прорыва. Если это было не так то сейчас уже поздно этому препятствовать. На всякий случай хочу по этому поводу отметить что современные молодые люди исключительно выносливы в такого рода интимных делах и их ничто не шокирует. Земля была темно-красной с примесью мучисто-белой пыли земля была по большей части глинисто-серой земля была пропитана кровью и слезами земля была покрыта мхом и травой так что скорее отливала зеленью земля была полна черноты желчи и морской пены земля выглядела как оторванный шатун земля была грубой и распухшей по краям волосы земли поля то есть золотисто-желтые волосы развевались на ветру так что земле приходилось чесать себе голову ворошить шевелюру.

Золотисто-желтые как колосящееся поле на ветру развевались волосы Марии когда она стояла у фабричных ворот ожидая своего первого друга Эмануэля. Почти каждый кто проходил мимо отпускал грязные шуточки в ее адрес прежде всего мастера постарше считавшие ее дичью на которую всем можно охотиться. Ее застиранное хлопковое платьице не доставало до колен худые как палочки ноги были обуты в деревянные башмаки старшей сестры Ингеборг которая путалась с иностранцем ноги у Марии часто подворачивались в щиколотках. На чулках повсюду бежали стрелки красив был только ее большой красный чувственный рот с крупными белыми зубами. С пяти лет Мария была глухонемой. Она могла только переписывать разумеется о диктовке и речи не было. Она надписывала адреса.

Только сильный шок мог исцелить Марию. Эммануэль был явной гарантией такого исцеления.

Эммануэль застыв от ужаса смотрел на тлеющий кончик сигареты приближавшейся к его лицу. Он попытался отклониться в сторону но веревки которыми он был привязан к стулу надежно удерживали его. Ну что ж мой славный маленький провокатор мой буян мой хорошенький хиппи ты у меня запоешь наконец или нет издевательски спрашивал Отонто поднося горящую сигарету еще ближе. Мануэль хотел было уже открыть свой мальчишеский рот и запеть по-английски свою любимую песню но потом снова сжал губы и продолжал упрямо молчать. Уже почти 3 часа кряду его допрашивал молодой лейтенант blue meanis по борьбе с шпионажем. Ему велели раздеться догола так как лейтенант подозревал что на теле у него спрятан магнитофон. Он был любителем музыки особого рода. Он ничего не нашел но бдительности не утратил.

В огромном помещении фабрики шум стоял такой что никто не говорил ни слова все равно ничего не слышно. Ревели станки скрежетал металл яркое пламя бросало отсветы на покрытые сажей лица рабочих которые в своих движениях больше напоминали роботов а не человеческие существа. Их единственное стремление единственная мысль: конец смены теплый душ чистое белье еда и спать спать как можно дольше. Для всего что придает жизни ценность танцы музыка девочки болтовня игры дискуссии учеба хорошая книга и т. п. у современного человека при такой напряженной работе не остается времени. В общем-то жалко что у современного человека все меньше сил на наслаждение жизнью которое так ценили наши отцы. Это превратилось в большую проблему сказал Мануэль запихивая в кальсоны очередной подмышник Эммануэль как всегда на корпус опережал всех. Он ничего не нашел но бдительности не утратил. Волна счастья и освобождения прокатилась по его телу. Что с тобой. Голоса духов слушаешь что ли полунасмешливо-полунедоверчиво спросил подсобный рабочий. Слушаю чмокающие звуки пустышки ответил тот с заискивающими интонациями.

Я бы не посоветовала девушкам моего возраста делать такую карьеру говорит Мария. Конечно мир кино закалил меня. Но разве такая жесткость идеал для 17-летней девушки? Трудно быть кинозвездой не обладая необходимой для этого зрелостью даже если ты в свои 17 лет знаешь о мужчинах всё.

Всех молодых тянет постоять в свете прожекторов поэтому такие профессии как манекенщица фотомодель актриса поп-певица и т. п. это мечта нашей молодежи неосознанное желание вырваться из серых будней на фабриках в конторах мастерских. Так что всё очень просто.

Не делал бы ты этого больно уж ты горяч предостерег его Отто товарищ по работе. Эммануэль от души рассмеялся в ответ. Его глаза в этот момент ярко вспыхнули. Я не помешаю раздался полный иронии голос. Эммануэль упал вперед и укрылся за спинкой кресла. Падая он успел достать пистолет. В ту же секунду Отто прыгнул наперерез врагу. Яростный рев эхом прокатился по помещению. Послышался глухой шлепок. Тяжелое тело Отто отшатнулось назад он грохнулся затылком о мраморный пол и застыл неподвижно. Очертания врага вдруг поплыли у Мануэля перед глазами. Он поднял пистолет.

Враг оказался подсобным рабочим Эммануэля настоящий помощник. Он поднялся двигаясь механически как робот завернулся в простыню на нетвердых ногах вышел из круга обступивших его зевак и направился в душ. Последний отрезок пути до Амштеттена ехали поездом.

ВНИМАНИЕ! Настоящий швейцарский эмменталь часто путают с сырами похожими на него но произведенными не в Швейцарии. Репортер: так как же вы уважаемая госпожа добиваетесь того что ваше белье сияет природной свежестью и чистотой и даже если на нем такие плохо поддающиеся стирке загрязнения как пот кровь яйца вы все равно вынимаете его из машины безупречно чистым. Госпожа Б.: я ведь ношу лифчики новой модели фелина-стретч. В них так легко и приятно двигаться.

Перед сном друзья еще немного побренчали на своих гитарах вдруг они вскочили. В дверях стоял подсобный рабочий. С дьявольской улыбкой на устах он приказал не двигаться сеньоры руки вверх будьте так любезны. Он был воплощением жестокого беспощадного громилы.

Продвигаясь зигзагами и преодолев в промежутках между взрывами половину поля Эммануэль со стоном бросился в воронку от бомбы. Сплошная маска из налипшей глины изменила его лицо до неузнаваемости руки и ноги были расцарапаны о корни и камни. Осмотревшись он заметил что он здесь не один. Спокойствие и еще раз спокойствие повторял он про себя. Требуйте желтую книгу хороших покупок! Они стояли и смотрели им стало казаться что они уже на небесах даже разговорчивый Отто онемел и стоял разинув рот от удивления.

Бомба взорвалась Отто Эммануэль и все остальные товарищи-марксисты взлетели в воздух грохота никто не слышал все происходит как в замедленной съемке они летят вверх на небо к Луси когда они поднялись уже достаточно высоко чтобы из виду скрылись родительский дом и мастерские столб воздуха замер неподвижно потом превратился в гигантский гриб и ягодки калины на этом чудовищном дереве рассыпались в атомарную пыль. Прежде чем с ними было покончено вся минувшая жизнь за секунду пронеслась у них перед глазами. У них было ощущение абсолютной невесомости когда Белый Гигант принял беглецов в свои акушерские объятия и понес вверх. Впереди всех Эммануэль в серединке Мария среди друзей-пацифистов детей-цветов чтобы обеспечить полную надежность путешествия чтобы никто не сделал никаких глупостей и вот в таком порядке эти смелые поднебесные туристы отправились в путь. Вниз не смотреть только вперед заботливо советовал Мануэль. Ренегаты как всегда взялись за руки и указывали друг другу на буколические завитки по краям облаков. Они стояли смотрели и думали что взлетают на небо в эту голубизну которую они еще никогда не видели так близко ведь они бескрылы. Все шло замечательно. Легкий на ногу Эммануэль карабкался вверх как горная козочка. Он и не заметил как они пролетели 10 000 километров ввысь. Всё выше и выше. Воздух становился все разреженнее. Эммануэль замедлил шаг. Постепенно и у остальных начало усиливаться сердцебиение. Над Амштеттеном как раз в этот момент в последний раз в его истории всходило солнце. Оно проливало свой кроваво-красный свет на сожженные черно-зеленые остекленевшие склоны. Отто еще никогда за всю свою жизнь не наблюдал восход солнца с таким облегчением и такой радостью. Мир был в его руках. И он был на родине Белого Гиганта. Каждый из друзей держал что-то в руках и теперь все посмотрели на то что несли с собой. На останки своих детей & внуков.

И тогда Белый Гигант разделил атомное облако на части. Мануэль получил пинка в живот и чуть было не упал. Отто опрокинулся навзничь дрожь пробежала по всему его телу и он затих. Кровь капала из маленькой ранки и это было все что осталось от пронзенного насквозь Отто. Где твои хозяева успел он спросить Белого Гиганта. Но тот умел держать язык за зубами если было надо!

44. GOOD MORNING

Good morning звонко прокричал Робин прямо в дверь. Ни звука. Слышно было только трепетание занавесок да сытый довольный храп Бэтмена. Значит он явился как раз вовремя. Одним дерзким прыжком Робин запрыгнул прямо в постель и преисполненный надежд начал двигаться. Раскатистый смех раздавался из-за двери за которой спал Супермен. Good morning еще раз сказал Робин и его голубые глаза засияли как воплощение воскресного утра. Бэтмен и Робин эта бродячая наемная рабочая сила вскоре утомились от своей игры. Тогда Супермен взял в руки гитару. Отваги сразу прибавилось и с новыми силами начался штурм двери и запудривание мозгов. Франкфуртский муниципальный совет высказался за то чтобы оснастить полицейских электродубинками. Дубинки которые бьют электрическим током особенно хороши для разгона демонстраций (демонстраций).

Бэтмен это символ невиданной силы великого народа Соединенных Штатов Америки Робин это гарант того что великий народ Соединенных Штатов Америки и в будущем останется невиданно силен. Робин обычно никогда не растет поэтому будущее еще некоторое время заставит себя ждать.

Когда однажды Робин повел себя не очень любезно по отношению к Бэтмену тот быстро вернул его с небес на землю и объяснил что прежде всего молодежь должна трудиться во имя того чтобы тяжело пострадавшая родина вновь окрепла и поднялась. Свое поучение Бэтмен подкрепил милыми маленькими наказаниями пока Робин не оттрубил на марше сколько положено и кряхтя мужественно отказался от дальнейших протестов. В любом случае не из-за ущерба нанесенного общественности хотя обычно он был понятливым мальчуганом. Застенчивость и пунцовость щек. Робость боязнь сказать не то и проч. в присутствии начальства на людях перед представителями противоположного пола и т. д. быстро и легко снимает метод эмоционального раскрепощения. Потрясающие результаты.

Бэтмен забавляется с Робином который в задумчивости прислонился к музыкальному автомату вылизывает его бьет его по икрам но не сильно постоянно поучает его. По его тонким губам змеится почти волчья ухмылка. Руки прочь Супермен приказывает он своему другу которого привлекло повизгивание Робина. Но горячий Супермен все-таки непременно хочет позабавиться. Парня надо проучить Супермен возражает он. Тогда Супермен узнает что у парня полный титул гангстер Робин. Оставь его в покое повторяет Супермен. Парнишка прав. Разве ты сам не интересуешься заранее сколько тебе заплатят за работу?

Тот кого ругали бурно обнял друга. Тот кого ругали бурно обнял друга. Оба не разбирая дороги обрушились на окружающую местность и испепелили негров демонстрантов пацифистов битников в пыль. Жители увеселительного квартала Соноита стойко восприняли всю скандальность этой бойни. Такое случается каждые выходные. Но выстрелы все-таки встревожили их и не только их но и желтую опасность. Желтая опасность.

Робин утратил право пользования своими ногами одна парила в воздухе другую Бэтмен так затискал жадными ласками что почти напрочь отдавил. Но руки пока принадлежали ему. Несмотря на тесноту он ухватил сверстанный набор Бэтмена и решил с ним не церемониться. Он посмотрел на него оскорбленным взглядом. Он задирает рукава его куртки еще чуть выше. На Лоуис Лейн была блузка с глубоким вырезом которая выставляла напоказ больше чем прятала ее губы были ярко накрашены. Она выполнила это задание столь же легкомысленно как и все прежние задания такого же или подобного рода.

Наша заставка заимствована из коллекции цветного синемаскопа это фильм «Пушки острова Наварон». Слева на заднем плане Грегори Пек и Дэвид Нейвен в одной из ключевых сцен. Фото: Колумбия.

Убирайся Лоуис заорал он это все бессмысленно уходи и заткнись. Он орал на настоящем американском английском используя сленг похожий на чикагский. Желтая опасность которая и без того дышала на ладан продолжая слепо сопротивляться была опрокинута и обратилась в бегство.

Сразу после того как за потной парочкой закрылась дверь пансиона тетки Гэрриет Бэтмен запер еще и дверь своей комнаты. Он взялся за Робина чтобы приласкать его в своей привычной по-отечески авторитарной манере Робин взвыл от страха когда огромная тень друга беззвучно приблизилась к нему он знал что ему грозит и попытался как мог прикрыть наиболее чувствительные места своего еще очень несовершенного тела. Только путем наказания Робин обучается той твердости которая необходима защитнику идеалов мира свободы и демократии.

Но во время опасных операций друзья едины тут они уверены в том что каждый может безоговорочно положиться на другого.

Мощь удара свалила Робина на колени. Он зарыдал от страха раньше чем коснулся земли.

Уже около 5 утра они каждый день встречались и шли в лес. И поскольку во время пасторальных развлечений им то и дело мешали туристы и дети они выкапывали в лесу норы и прятались в них как дикие звери. Мария оскорбленно молчала. Она сохраняла детскую восприимчивость но тут же подавила ее в себе. Она помчалась через лес вместе со своим О. которого в порыве последней нежности прижала к своим расставленным в стороны ногам спасаясь бегством от всепроникающего запаха дешевого спиртного самокруток жилета старых гетров сапог с боковыми швами армейской куртки длинных подштанников штанов горного проводника кожаных пальто фуражек горного стрелка который исходил от отца. Менее 3 метров было от них до основного ствола смертоносной ивы-убийцы. Вверху на ней виднелись выросты которые она уже раньше заметила у термитов. Она не понимала почему ее отец не бежал прочь увидев столь жуткую картину. В отчаянии она попыталась увести О. в безопасное место.

Безысходная вселенская печаль царила вокруг этих молодых. Во время своего поспешного бегства из мира отцовской затхлости они не обращали почти никакого внимания на свое новое окружение. Они стояли на краю неведомой земли. Их преследователь этот опереточный актер который сам уже готов был задохнуться в собственном дерьме упал на колени. Он был так жалок что даже ничего не отрицал. О. лишь слегка провел рукой по рукаву куртки а отец посмотрел на него с ужасом. Мы ведь всегда были друзьями пролепетал он. Зубы у него громко стучали от страха. Друзьями издевательски произнесла Мария а кто тебя на нас натравил и кому ты позвонил.

Узкое лицо тонкие умные старческие черты с печатью тяжкого труда лишений плена разборчивости в еде теплый взгляд серых глаз из-под каштановых волос вот то лицо которое Мария так часто вызывала в памяти которого она так жаждала отыскивая черты отца.

Отец этого я никак не ожидала. Раскрасневшись от возбуждения Мария со свойственной ей сердечностью протянула ему сразу обе руки. Он рассказал ей свою историю лизоблюда и безвольного человека историю участника войны.

Турок возник как видение из другого мира когда то оскользаясь то твердо ступая продвигался он по горе обломков чтобы прийти на помощь другу в его последней битве. Заходящее солнце нарисовало шлем из лучей вокруг его головы вся сцена казалась чуть ли не мирной и нерушимой даже великан Хонкер словно застыл превратившись в недвижимого колосса из мышц плоти выпуклостей и энергии но этот покой был обманчив. Тишина была затишьем перед боем перед последним заключительным беспощадным действом. Турок набычился казалось он слился с землей в единое целое ветер все вновь и вновь вздымал вверх столбы пыли застилал взгляд и ухудшал видимость. Кривые узловатые деревья росли здесь гуще Их ветви сплетались между собой образуя непреодолимый барьер. Между ними стеной стояли заросли бамбука и колючий кустарник. Трава была высокой и острой как лезвие казалось она способна была отрезать руку от туловища. На первый взгляд казалось странным что никто не мог одолеть этот бастион великой смоковницы не лишившись жизни во время этой попытки.

Мария наблюдала за лицом своего спутника одновременно поглядывая на смертоносную чащобу.

Ничто не двигалось. Легкий бриз с моря не мог даже пошевельнуть эти твердые бронированные листья и заставить их зашелестеть. Все было тихо и словно мертво.

Перед судом двадцатилетний позже показал она так нравилась мне она была так нежна и фигура у нее такая красивая. Что я мог поделать. 14-летняя девочка разработала план убийства до последних деталей. Она даже добыла ружье которое было им необходимо для убийства. И вот настало 31 июля 1967 года. День убийства. Мария уже целый месяц носила под сердцем ребенка.

Турок затаил дыхание и слился с землей. Земля в которую врос Турок внезапно вздыбилась превращаясь в непреодолимую стену и со сверхзвуковой скоростью двинулась на Хонкера который перед этой стеной из бетона мышц крови плоти энергии твердости и упорства испуганно отпрянул назад.

Робот был двухметровой высоты то есть в два раза выше мышиного бобра. И вдвое толще. Лицо у него было покрыто пластиком и специальная автоматическая система гуммирефлекс следила за соответствующей сменой выражения. Тэйбер мог выглядеть как озабоченным так и обрадованным если того требовала ситуация. Его правая рука представляла собой лазерное оружие большой дальности действия. Левая заканчивалась сменяемыми ладонями. Он мог использовать ее в качестве инструмента для самых разных целей. Кроме того он был оборудован персональной защитной ширмой и персональным летающим агрегатом.

Когда они шли по лесу О. внезапно почувствовал как что-то мягко и ласково село ему на голову. То ли гриб-дождевик то ли кожаный воротник нежный как паутина источающий невыносимую вонь запах сгнивших старых гетров жилетов сапог с боковыми швами армейской куртки длинных подштанников штанов горного проводника кожаных пальто фуражек горного стрелка. За последние несколько часов О. уже неоднократно видел это паутинообразное растение возле термитов а также в неведомой стране растений. Растение это было не что иное как дождевик-отец мутант. За миллионы лет своего существования он научился находить новые источники собственной жизни. Это был симбиоз с другими более молодыми живыми существами с плодородными дочерними культурами. Некоторое время О. стоял замерев. Он только чуть-чуть подрагивал чувствуя у себя на липкой голове отцовское растение. Он всего один раз поднял руку чтобы сбросить противную слякоть но потом опустил руку.

Голова у него была холодной и почти потеряла чувствительность. Он нашел каменный уступ и сел прислонившись спиной к скале. Перед ним простирался край неведомой страны. Вдали высилась зеленая стена леса. В прохладной тени было хорошо. Смотреть в ясное лицо Марии тоже было хорошо. Вокруг него росли какие-то безобидные растения. И вблизи не было никаких врагов.

Когда отец вместе с Марией подошел к одной из нор их любви и с удивлением огляделся нигде не видя друга Марии в лесу внезапно раздался выстрел. С мучительным криком отец повалился на землю. О. выстрелил ему в спину. Тут же подскочил и дважды перепрыгнул через голову своей жертвы. Потом подошла Мария и вытащила у отца из кармана рубашки 75 марок. При этом она заметила что тот еще жив. Тогда она вырвала у своего возлюбленного из рук ружье и добила собственного отца прикладом. Потом отшвырнула орудие убийства в сторону и прокричала следующие слова О. теперь я целиком принадлежу тебе. Затем оба бросились на землю и принялись уже беспрепятственно и безостановочно заниматься любовью.

Слившийся с землей Турок вновь обретал прежнюю твердость. Они целовались и гриб у него на голове едва заметно мерцал в сиянии никогда не гаснущего солнца. Вечером девочка вернулась домой как ни в чем не бывало. Но соседи видели как она вместе с отцом уходила в лес. Они и нашли убитого мужчину с пулевым отверстием в спине. Чуть позже комиссия по расследованию убийств арестовала Марию и О. Облако дыма стояло над смертоносной чащей медленно подползая к лесу. Земля была черной и на ней не было растений. Рука об руку вышли эти двое из неведомой страны.

46. ГАКИ СРАЗУ ПОНЯЛ

Гаки сразу понял что это был кхер. Цоколь машины был восьмиугольным и достигал почти 100 метров в диаметре. Он сужался вверх в виде пирамиды и на высоте десяти метров образовывал горизонтальную площадку. На ней покоился гигантский шар со свободно парящими кольцами состоящими казалось из чистой энергии. Они с сумасшедшей скоростью вращались вокруг отливающего золотом шара а непосредственно напротив наблюдающих был расположен большой глаз. 23 июня 2350 года космический корабль Сандерболт достигает места разрушенной триста лет назад планеты Трамп. Гаки и его гвардия прибыли сюда чтобы отомстить убийцам, уничтожившим их родной мир.

Гаки в это время принимает на себя некоторые из важнейших функций Отто: его руку врага покорность трупам секрецию жира а также более мелкие работы по санации.

Энергия выделяемая завитой вокруг шара спиралью была в миллионы раз больше всех энергий известных жителям Земли и других заселенных планет Галактики длина волн не поддавалась измерению с помощью известных людям приборов частота их колебаний достигала таких диапазонов о каких не слышал даже мудрый Иксо. Излучающие свет ниши были облицованы очень радиоактивным материалом, напоминающим резину. Он был серым эластичным и его нельзя было ни растворить ни разрезать вообще никак нельзя было повредить. Эта часть была мозгом единого устройства состоящим из миллионов и миллионов клеток каждая из которых намного превосходила любую мыслящую субстанцию любой из всех доселе известных биологических форм существования в системе мироздания. Здесь принимались решения которые были движущей силой и руководством к действию для великого совета старейшин в то же время это делало их смертельно опасными для Галактики эти клеточки были надменны холодны мыслили с невероятной остротой были бесстрашны и неуязвимы.

Еще той же ночью Эксо и Ихо со своими солдатами армии И-Кхер заняли важнейшие позиции в столице. Четверо мудрых советников Ножд Лоп Ждрожд Огнир или что-то вроде этого в своих мундирах с вечно улыбающимися лицами словно вырезанными из эбенового дерева с примкнутыми штыками позванивая курсировали по каналам из искусственных материалов через которые ими телепатически управляли. Организмы которым было велено их охранять обладали настолько высоким интеллектом и такой фантазией что им не было никакого смысла вылезать из своих психомодуляторных коек. Их вклад в общую жизнь был сразу всосан компьютерными клетками занесен в память оценен и наоборот тем же способом можно было возбудить отделы мозга или его более высокоорганизованные версии чтобы получить результаты определенного рода.

Для нашей четверки ветеранов это была жизнь лишенная красок. Лоп склонился к Огнир нежно взял ее за подбородок и поцеловал бесчувственную прямо в губы. Она открыла глаза и глубоко вздохнула. Слезы побежали у нее по щекам и Лоп со смесью медицинской деловитости которая у него была и врожденной и привитой родителями и внезапного волнения хладнокровно заметил что турго не плачет ему неведомы чувства кроме тупой преданности воина обученного бойца своему господину. Но в случае с Огнир это поведение было только отрадным симптомом она осталась женщиной со всеми присущими женщине чувствами. Все хорошо сказал он сквозь челюсть щелкунчика и он действительно так думал.

Его мундир был сверху донизу усеян орденскими лентами пряжками украшениями вышитыми цветами разноцветными лампочками музыкальными инструментами ракушками проливами Ла-Манш бифокальными линзами союзниками дюбелями земляными яблоками и всеми мыслимыми хорошими вещами. Это крепило патриотические чувства его великого народа.

Ищите решение в предшествующих фрагментах где-то там скрывается ошибка. Примите участие в поисковой акции найди желтизну! Заполните прилагаемый ниже талон участника наклейте его на открытку с достаточным количеством почтовых марок и отправьте до 23.6.2350 по адресу Хенкель & Кⁿ. поисковая акция найди желтизну Дюссельдорф 1 п/я 1100. Если придет много правильных ответов выигрыши будут выдаваться под нотариальным надзором. Судебные иски рассматриваться не будут. Каждый участник может выиграть приз только один раз. Не допускается участие в розыгрыше сотрудников фирмы Хенкель & Кⁿ ГмбХ и членов их семей. Объявите войну желтизне изгоните ее прочь с помощью Дато! Дато это специальное моющее средство для всех современных белых тканей. Поскольку в его состав входит большой процент оптических отбеливателей белое вообще больше не может пожелтеть и даже уже пожелтевшее под воздействием Дато будет выглядеть белым. Дато уже с нами. Слава богу. Держись. Дато скоро придет на помощь.

Дорогой Франк твоя утренняя воскресная передача могла бы быть еще лучше еще зажигательнее если бы ты не так много болтал. Ты знаешь мое мнение такое рано утром когда я встаю я хочу услышать программу которая меня по-настоящему освежит взбодрит и разбудит. Я люблю по воскресеньям вставать рано особенно если на улице хорошая погода и впереди целый прекрасный день. Музыка которую я дорогой Франк люблю слушать по воскресеньям должна быть очень зажигательной это вполне может быть тяжелый рок но пожалуйста не надо в промежутках так много говорить. Ведь утром никто толком слова не слушает. Либо ты говоришь себе опять он болтает без передышки всякую ерунду этот Франк либо ты себя спрашиваешь постоянно постой а что он там сейчас такое сказал. Я думаю что завтрак особенно в воскресенье должен обратно отвоевать свое главное место в распорядке ежедневного питания. Яйца сало ветчина сыр колбаса булочки с маком которые я всегда покупаю свеженькими в субботу кофе апельсиновый сок и ко всему этому еще как можно больше помидоров. И музыка музыка музыка. Такая музыка чтобы ты сам ВЫПРЫГНУЛ из постели.

В сопровождении двух мужчин в черных вечерних фраках обворожительная светловолосая дама высокого роста в длинном белом тюлевом платье с глубоким декольте с желтой розой на правом плече как раз в этот момент медленно входит в зал ослепительно освещенный тысячами люстр. В ее поднятых вверх волосах сияет драгоценная диадема матовая кожа напоминает слоновую кость мягкая ткань платья беззвучно веет над дорогими коврами. Искрометная улыбка подобно шампанскому витает на ее ярко-красных губах брызжет вверх искрометный смех оседая на лампах люстр плафон на потолке весь покрыт искрометным смехом и вся эта картина есть зрелище свежей нетронутости невинности ведь она человек который следует побуждениям сердца а не рассудка.

Неустанно день за днем и без выходных струятся белые источники соединяясь в молочную реку. Преодолевая ущелья и долины альпийский крестьянин Джон по пластиковым трубам отправляет молоко вниз в долину. Потом трубопровод разумеется основательно прочищают. Здесь важно охлаждение потому что бактерии содержащиеся в молоке и в окружающем воздухе легче размножаются в теплом молоке и почти не размножаются в холодном. Так молоко остается свежим и скисание маловероятно.

Ее правая рука свободно лежит на плече кавалера с моноклем белая перчатка сидит идеально без единой складочки из-под края платья выглядывает носок серебряной туфельки который иногда нервно подрагивает. Эти простые слова и решили все дело. Женщина понимает это когда видит почти незаметную улыбку мелькнувшую на губах американского президента. И она слышит это по его голосу который звучит теперь совершенно иначе чем прежде в нем нет недоверия в нем слышится облегчение.

Благодарю вас графиня вы оказали мне большую честь. Словно невзначай ее рука касается его руки электрическая искра пронзает обоих и заставляет содрогнуться. Цельное парное молоко непосредственно после дойки нужно перелить в чистые кувшины и охладить.

Гаки немного перекусив разразился проклятиями. Одни сплошные пьяницы заявил он наконец. Полный корабль одних пьяниц может быть я всё вижу в черном свете и мне пора переключиться на розовый? Ни к какому решению он не пришел. До старта корабля оставалось еще тридцать часов. Он еще раз удостоверился в том что все его мышиные бобры илты сидят в своих кабинах и только после этого отправился к главному мышиному бобру Илту. Бездеятельное ожидание хуже этого для него ничего не было.

Ринго Огнир не обращал на это никакого внимания. Он проверял свой маленький импульс-лазер и приводил в порядок мундир. Крохотная капелька роскоши.

Лоп раскладывал перед собой Ждрожда сверло садовые ножницы ударную бурильную насадку ручную циркулярную пилу с пильным полотном ножовку верстак вибрационную насадку и поправлял его с помощью этих инструментов когда тот принимался грубить пока у Ждрожда не начинали течь по щекам горькие слезы орошая мундир как помощник врача он обязан был хранить врачебную тайну. Глаз был объектом примечательным хотя это может быть был вовсе не глаз в прямом смысле этого слова. Он переливался разноцветными красками которые непрестанно менялись и это усиливало впечатление что он живой. Он был овальной формы добрых метра два в длину а посередине возвышался примерно на метр. Зрачок в центре как трезво рассудил Тейбер наверняка представлял собой всё фиксирующую камеру.

В каких современных тканях предметах одежды и текстильных изделиях скрывается желтизна и как часто она встретилась вам на этой приведенной выше картинке? Какое специальное моющее средство может справиться с желтизной? Может ли моющее средство Дато сделать белым уже пожелтевшее? Да оно способно это сделать. Незнакомка слегка улыбнулась. Вот он где спрятался этот захватчик в блузке в занавеске в рабочем халате в нижнем белье. У меня тоже такое чувство что взгляды посторонних ощупывают меня сквозь платье до самой кожи до самой желтизны. Она чувствовала на себе взгляды посторонних которые ощупывали ее сквозь платье. Он обнял ее. Он даже испытывал какой-то страх перед силой ее чувства.

Наверху в самом центре шара стояла черная пирамида 10-метровой высоты. Она была треугольной а из ее вершины поднимался вверх длинный шест на конце которого сиял шар напоминающий шар на крыше шахты лифта. Гаки неподвижно смотрел на гигантский глаз в шаре. Было похоже что глаз реагирует на его взгляд и у Гаки появилось чувство что он встретился с живым умным существом. Но он был единственным на кого оказывали влияние такие вещи. Лоп повис на правой а Огнир на левой руке вновь счастливо обретенного. На этот раз Гаки спокойно отнесся к такой вот швартовке.

47. КАСПЕРЛЬ ПОЙМАЛ МЧАЩЕГОСЯ

Касперль поймал бешено мчащегося прямо на бегу и прижал его к своей груди прижал задыхающегося к своей Касперлевой груди. И удерживал его тяжело дышащего у своей груди под защитой удерживал задыхающегося который смеясь силился высвободиться но Касперль не сдавался хватал его за плечи этого хитреца изображавшего сопротивление и прижимал к груди схватив его на полном скаку Касперль поймал быстро бегущего и едва касавшегося земли одним быстрым точным движением и железной хваткой держал барахтающегося перебирающего ногами сопротивляющегося намертво у своей груди Касперль мог еще схватить этого яростно сопротивляющегося когда тот на полном ходу промчался мимо.

Было ли это своего рода взаимным приветствием двух весельчаков. Словно два друга целый год не виделись словно они не расстались друг с другом вчера поздно вечером.

Не заботясь об остальных жителях Касперль ликуя обнял этого бесцеремонного который извиваясь его отталкивал пихал и кичливо пинал. При этом его черные шерстяные спортивные брюки задрались чуть ли не до колен. Он густо покраснел до ушей его пышущее здоровьем лицо сорванца приобрело интенсивно-красный оттенок. Это была возня и неразбериха как будто люди которые годами жили на разных континентах неожиданно встретились снова.

Стоит только повернуться спиной как наш Касперль начинает творить безобразия едва оставшись один он дразнит Бэтмена и полусерьезно-полушутя теребит его породистую кисточку.

Подоспевший Бэтмен вгоняет лежащему под одеялом Касперлю в кровь дьявольский наркотик в его собственной постели в момент первого страстного объятия. Он поднялся механическими движениями робота завернулся в простыню нетвердым шагом покинул спальню и отправился в душ. — Speed.

Белый свет не отбрасывающий тени проникал сквозь двери и окна казалось он светил даже сквозь стены сжигая их изнутри зной висел над городом как колокол. Касперль судорожно пытается удерживать при себе свои ноги несравненную опору своего тела и барахтаясь ползет на животе через развороченную повозками мулами и конскими копытами улицу которая больше напоминает теперь проезжую дорогу трещины в земле глубоки очень глубоки. Si señor механически отвечает он. Исход этой битвы таким образом тоже предрешен.

Надежда Бэтмена внезапно появиться где-нибудь посреди главной улицы в ее сутолоке не оправдалась. Может быть еще стоит надеяться? Касперль в последний момент отпустил на волю свои непомерно длинные ступни и упал вперед под прикрытие антенны. В падении он успел достать пистолет. Яростный рев эхом прокатился по помещению что-то глухо шлепнулось. Тяжелое тело качнулось назад рухнуло поперек комнаты сильно ударившись затылком и осталось лежать без движения.

Непомерно длинные ноги Касперля теперь уже совершенно неудержимо мчались абсолютно без головы от одного убежища в арке ворот к следующему до чего забавно было им так свободно и безо всяких обязательств шагать на свой страх и риск. Путь предстоял долгий. По дороге они увидели значительную часть города. Они легко поддавались обаянию прекрасного и поэтому были в восторге от прелестного живописного вида. Но тут судьба настигла их в лице Бэтмена. Как раз в тот момент когда непомерно длинные ноги Касперля охлаждали в ручье свои серебристые стройные формы напоминающие по форме электропровода этот артиллерист выскочил из-за куста бузины ткнул штыком своего мушкета в обе наши костоломкие (героические) ножки и вытащил обеих строптивиц на сушу где осторожно пристегнул их к своему качающемуся телу. После этой согревающей борьбы он встал и потрепал их белокурые локоны. Ноги Касперля в этот момент были явно не расположены к нежностям.

Бэтмен схватил их под мышки и подтянул вверх. Бэтмен выполнил это задание столь же легкомысленно как и все прежние задания такого или подобного рода.

Касперль же напротив с трудом шлепал на руках по улицам переулкам & площадям от этих и подобных им требований его прошибал пот он боялся что теперь когда с ним больше нет его опоры на улице с ним никто не будет здороваться возможно страх его был необоснованным. Под грузом собственных забот какой-то там одинокий человек без нижней части совершенно не бросался людям в глаза у них достаточно было хлопот с персональными противоядерными бункерами. Неужели все это будет продолжаться вечно. Да все это будет продолжаться вечно и нечего суетиться & сучить ногами. Касперль думал что может быть то чем он занимался было выдающимся цирковым достижением но ведь многие другие люди более или менее бессознательно уже выполняли такое когда их машина попадала в аварию. Он сильно ударился о землю & получилось что-то вроде колесика и он крутанулся & потом еще раз повернулся вокруг своей оси.

Добыть старую бочку это не проблема. Ваш плотник выпилит (1) часть клепок. Прибив поперечины вы изготовите из них дверь. (а) Дверь с помощью шарниров вставляется в прорезь. Сверху (б) для автоматического освещения прикрепляется контактная кнопка. Для открывания и закрывания двери вклеивается деревянная кнопка. (в) Это простая подставка из дерева. На рис. 2 показан домашний бар в разрезе. (г) Подходящая решетка для бутылок. (д) Круглая полка для бокалов. (е) Внутреннее освещение. Всё! Между тем руки и мышцы Бэтмена свыклись с тяжелой работой. Только с одним он как североамериканец никак свыкнуться не мог с неумолимым вечно палящим солнцем. Оно иссушало его. Оно отбирало у него последние капли пота. Оно превращало его защитный шлем из алюминия в раскаленный горшок.

Разумеется в лагере существовал строгий порядок. Тем не менее длинному Бэтмену удавалось каждую ночь брать с собой в комнату ноги Касперля которые страдали от палящего зноя больше чем он сам и на нежной коже которых появились некрасивые пузыри гноящиеся язвы и потертости. Тогда они лежали себе спокойно стенографировали всё моталась туда-сюда по всей стране иногда в уголках губ у них появлялось подобие улыбки хотя они по-прежнему упорно избегали встречаться взглядом с Бэтменом. Он любил отвечать коротко.

Хотя Бэтмен был вооружен и прежде был кажется профессиональным боксером у него из-за строптивости этих двух живых лампасов начали седеть волосы. Ворча он назвал имя & номер. Касперль был 45-летним зайцем Лампе из сказки. У него было угловатое лицо и толстые щеки которые уже начали обвисать. Он слегка напоминал бульдога. Маленькие глазки едва видны были из-под густых бровей. Про него ходило много сплетен.

Поскольку он никогда не выходил на прогулку один то среди людей он прослыл чудаком. Молодежь напрасно ждет снега.

Можно было различить лишь силуэты спутников Бэтмена. Они выглядели как гигантские человеческие ноги и что-то выдавало в их фигурах американцев. Они обрушили на него первые удары раньше чем абсолютно беспомощный Касперль смог с помощью рук как-то поднять свое бойцовское тело. Ничто так не ошарашивает человека как хорошо рассчитанные контрудары. Касперль умер раньше чем коснулся земли. Его ноги целовали друг друга со слезами на глазах. Бэтмен ухмылялся глядя на их идиотскую радость.

48. ТОЛЬКО КОГДА ОН НЕСМОТРЯ НИ НА ЧТО УМРЕТ

Только когда он несмотря ни на что умрет госпожа супруга Пасхального Зайца только в этом случае медицина возможно воспользуется правом применить его мертвое тело для спасения другого человека.

Он с облегчением вздыхает несмотря на гложущие его сомнения.

Если даже Отто со всем его опытом и разнообразными логическими методами не в состоянии выйти на след ужасных тайн какой мощью в таком случае должен обладать дух который создал этот мир?

О грех изливающий свою ярость на слепых детей этого мира!

Гари Купер состарился и в совсем преклонном возрасте умер от рака до наступления тех дней когда в этот мир пришел снег принеся ему совершенное страдание.

Отто известный донор органов он совершенно пустой человек тяжелоатлет. Многие из тех кто сегодня здоров кто занимает свое рабочее место окружает заботой свою семью кто наслаждается свободным временем для кого снова светит солнце сияет голубое небо и зеленеет трава тертые калачи с козырями в кармане эти изделия природы эти формы ее существования обязаны всем на свете только ему одному.

Вскоре у Отто ничего кроме головы уже не останется но и ей давно уже угрожает молот.

О эта ужасная боль опять провалиться в самого себя. Не успел Рекси удержать Конни как она пересекла улицу и с невероятной скоростью помчалась по той стороне. И не подумаю ее догонять раздраженно думает Рекс. И по отдельности один по одной стороне другая по другой эти неразлучники шагают домой.

Я сижу смирившись с тем что солнце заходит и моя уверенность в том что мой мир гибнет у меня на глазах не имеет никакого значения. (Арам Бояджян.) Кровь стынет у бойцов в жилах. С болезненной отчетливостью они вдруг вспоминают голос который приказал им оглядеться вокруг. Здание свидетельствует о наличии здесь мыслящих существ. ЗЕМЛЯ ОБИТАЕМА! Похоже что на Земле есть обитатели.

49. ТРЕВОГА ЗАКРИЧАЛ ОТТО В МИКРОФОН

Тревога закричал Отто в микрофон. Его голос эхом прокатился по всем коридорам подвалам & бункерам Медузы-5 главного подземного штаба стрелкового полка. Белый Гигант находясь в своем рабочем отсеке увидел вспыхивающую красную лампочку услышал набегающий волнами вой сирены. Он резко толкнул стальную дверь сейфа вынул автомат с пудовым боезапасом подключил интерком-теле. Загорелся экран станции радиосвязи.

На несколько секунд он закрыл глаза. Сохраняй спокойствие сказал он себе совершенно спокойно.

Разве не проклюнулась первая фиалочка первая еще робкая посланница весны высунувшая вверх свою головку разве не начали деревья наряжаться в нежно-зеленые листочки свирели кирпичи бомбы шрапнель вне всякого сомнения это было горное бурение земли глубокая пахота. Воскресный покой царил в природе мирно & отрешенно спала долина. И тут снайперы-битлз во главе с командиром снайперов Отто вновь обрели равновесие и свойственную им жизнерадостность. Ведь жизнь была так прекрасна. Она казалась молодым людям безоблачной как воскресное небо. Невзирая на воскресный покой надо было делать дело. Хорошую погоду необходимо было использовать. С неба с поразительной точностью целыми стадами пикировали летательные аппараты предназначенные для того чтобы парить чтобы передвигаться по небу серебристая стая летающих рыб шествовала сквозь синеву и где-то там вдали за горами касалась земли робея от того как они жили & поживали и расцветая алым вишневым цветом пунцовыми ночными свечками ослинника эти ослепительные брызги возвращались обратно в небо.

И надо всем этим вздымалось вечернее небо прозрачное как стеклянный колокол расцвеченное нежными красками как это было прекрасно (прекрасно) голос Мика Джаггера одного из аудиолюбимчиков слушая которого юные солдаты истекали слюной облизывая свои поцелуйные рты куполом человечности & оперных увертюр парил в вышине. В тот же миг справа грянул выстрел пуля угодила желтокожему в грудь. Он беззвучно упал. Отто поставил свой пистолет на предохранитель и сунул его в смертельную рану своего черносмородинового торса где ничто больше не болталось & не маячило никаких замечательных штучек которые ждут своего часа ничего там не пританцовывало. Это ему удалось только с четвертой попытки так пальцы дрожали. Товарищи схватили его и побежали вместе с ним в укрытие. Парнишка уже не оправился от испуга он вступил в захватывающий смертельный бой со сложными виражами двойными прыжками & ловким преодолением трудностей. Когда все было кончено парни стали ложками черпать из банки йогурт и осторожно намазывать на павшего пока не натешились этим вдоволь и пока тело юного забавника и юного солдата не было полностью раскрашено под мрамор. Кроме того убитого фаната можно украсить взбитыми сливками и консервированными вишнями.

Даже когда начался дождь эти бойцы не успокоились. Земля стала мокрой и скользкой. Зеленое свечение в небе похоже усилилось и вскоре все почувствовали что стало теплее. Здесь больше не было скал в которых можно было укрыться. Вода в огромных лужах доходила уже до щиколоток но дождь не прекращался. Колпак гнома на Робине Зловещем и Прекрасном развевался на ветру гладкие волосы блестящими волнами ниспадали на плечи передний край острый как нож а красивой окраски купированный хвост вилял и извивался уши нервно и породисто подрагивали колокол звонил его застольная песня с большой скоростью пропитывалась водой его грязь под ним истерзанная страна. В тот же момент он ретировался и ловко скользнул в сторону от худощавых узкоглазых фигур. Мгновение и в 10 лбах зияло 10 круглых дырок. Они с грохотом повалились лицом вниз и в лесу распространился приторный запах жженого кордита.

В смутном свете быстро надвигающихся сумерек лица молодых солдат выглядели бледными и юными. Глаза в обрамлении бесцветных ресниц капельки пота стекающие по носу ротики-лизуны с мелкими острыми зубками нежная свежесть младенческой кожи на кукольных язычках застыли любимые хиты опухоли под мышками величиной с абрикос тянущиеся до самых сосков страх в чертах лиц балованных детей. Бледными и юными выглядели лица молодых солдат в смутном свете быстро надвигающихся сумерек. Застрочила первая пулеметная очередь. Еще три-четыре автомата присоединились к стальному концерту. Обшитые никелем орудия размозжили левое переднее колесо машины снабжения. Шина лопнула. Грузовик резко шатнуло влево он покатился и на полном ходу врезался в первую из трех стоявших там машин с боеприпасами. Через долю секунды раздался грандиозный громовой раскат от которого задрожала земля. Пылающий солнечный шар окутал машины. Тлеющие обломки со свистом летели по воздуху. Через несколько секунд один за другим прогремела серия взрывов. Четыре сцепленных между собой грузовика занялись ярким пламенем. Обломки взорвавшихся армейских грузовиков лежали на дне черной воронки.

Сумерки уносили прочь весенний вечер. В расположении стрелкового полка по-прежнему звучали мелодии Beatles радостные и грустные. Молодой жеребистый лейтенант стоял на своих нелепо длинных неловких оленьих ногах ногах Бэмби втиснутых в слишком узкие форменные брюки на голове у него была косматая копна рыжевато-каштановых волос отливавших золотом как только на них падало солнце. Нелепо длинные подростковые ноги Отто ноги Бэмби то и дело топотали устремляясь к титькам битлз или роллинг-стоунз в то время как верхняя часть его тела парила над джунглями радужно светясь как острие ракеты или торпеда. В больших городах воюющей страны жители наслаждаясь выходными слушали радующее душу пение. В больших городах воюющей страны жители снисходительно улыбаясь смотрели на жизнерадостность этих молодых людей защитников мира свободы & демократии предвестников нового лучшего мира.

На берегу реки сияло солнце. Опасность вулкана здесь не чувствовалась. Было тепло пляж был песчаный. Вода в реке быстро утекала прочь. На противоположном берегу джунгли начинались не сразу потому что землю покрывала лава.

Как раз ширина дельты и спасала их от нападения смертоносных белых трав. Граница между рекой и морем была не видна потому что бурая вода широко растекалась по океану. Ее цвет менялся но постепенно. Накатывающие волны становились со временем темно-синими.

Со стиснутыми зубами собрав в кулак всю свою силу воли отряд с трудом вскарабкался на возвышение. Время от времени смертоносная трава неслышно протягивала по воздуху свои щупальца и хватала болтунов за руки за ноги за язык помни-менякак-я-тебя. Сверху падал отраженный свет солнца. И на потайные тропы проглядывавшие между стволами деревьев: там тела повстанцев-бунтарей. Они поднимались все выше в гору навстречу далекому свету. Скалы перед ними расступались и долина становилась все шире. Молодые парни которые не прочь были потанцевать в бит-клубах и которые предпочли бы провести вечерок со своими девчонками относились к войне с большой серьезностью. Они сидели тесно прижавшись друг к другу с мармеладными вишневыми малиновыми или земляничными головками в зависимости от тяжести ранения и со страху пачкали свои головные повязки от желтка до скорлупы из их анонимной массы сильно выделялась фигура гонца Робина его сливной кран прорывало от нетерпения начать штурм от жажды броситься в бой от задора лихого строевого марша. Если разобраться именно он считался одним из тайных зачинщиков.

Мужчины только и ждали этого приказа. Бах! По крутой дуге в бунтарей полетела первая бомба ударилась взорвалась. За ней вторая потом третья. Волны ядовитого газа ударили навстречу узкоглазым. Одновременно заработало сразу пять пулеметов. В желтую массу как в пудинг шипя начали падать орудийные снаряды что-то загорелось и взорвалось. И вот в атаку пошли пехотинцы в мундирах и противогазах. Они сразу завладели полем боя. Рецепт пудинга: вскипятить 1/2 литра молока добавить 60 граммов муки и варить 1/2 часа при интенсивном помешивании. Добавить 50 граммов сахара и 1 щепотку соли & снять с огня. Взбить в пену 1 яичный желток и добавить в полученную массу. Охладить.

Упрямство Робина взяло верх и вернуло ему утраченные силы. Робин Зловещий и Прекрасный милый ребенок с сияющей улыбкой у которого все лицо в веселых веснушках упрямо откинул голову когда хижина скрылась в огненном море более того он играючи ткнул свиловатым прикладом в разлетающиеся искры и надув щеки принялся раздувать тлеющий огонь проказник. Остальная верная ему молодежь силилась подражать этому примеру. Лихо и отважно сдвинув на ухо зеленые береты они только громче запели когда им повыдергали все вихры и когти.

Вынув из чехлов ножи они обрушились на желтокожего паразита и просто-напросто вырезали весь его мясистый стебель. Рот его теперь беспомощно валялся на земле он несколько раз бессмысленно открылся потом затих. Еще не скоро после того как стихли ужасающие звуки неравной битвы бойцы джунглей мускулисто зашагали по твердой земле которая еще не истекла кровью напряжение прошедших часов до сих пор еще отчетливо читалось у них на лицах. Они протянули друг другу руки и немедленно впились зубами словно кусая собственный хвост подобно кровожадным волкам в собственных же закадычных друзей.

Небо здесь наверху казалось все таким же далеким как внизу. Склон стал полого спускаться но это длилось недолго. За ним началась высокая скальная стена большого горного массива. Цель у них у всех была одна и та же. Двигаясь они вновь привнесли жизнь в мертвую местность. Руководствуясь своим инстинктом они стали взбираться к сияющим вершинам.

50. И ТУТ БЕЛЫЙ ГИГАНТ НАНЕС УДАР

И тут Белый Гигант нанес удар. Буммммммммммм!

Он заглянул в глаза своим помощникам Челове-ку-летучей-мыши & человеку-обезьяне Кинг-Конгу. В этих глазах не сквозила душа но они были наполнены огнем непомерного ума. Человек-летучая-мышь известный любимчик Белого Гиганта тут же прыгнул сначала ему на колени а оттуда на правое плечо чтобы в конце концов с ликующими возгласами очутиться в его объятиях. Белый Гигант нежно взял на руки Человека-летучую-мышь который как всем известно был его любимчиком а человек-обезьяна ластясь к нему повис на его правой руке и приблизив губы к самому уху добродушного Белого Гиганта дунул ему в ухо перегаром. И тут Белый Гигант нанес удар.

Когда наступила ночь город который вот уже на протяжении многих месяцев терроризировала беспощадная банда закрыл все двери и окна ни женщинам ни детям ни в коем случае нельзя было одним выходить на улицу все мужчины даже дети и старики по очереди охраняли город неся вооруженную вахту.

Пасхальный Заяц толстый лысый банкир вытирает пот со лба и с лысины колбасник он ослабляет узел галстука и нервно закуривает сигару которую после нескольких затяжек снова гасит вокруг вентилятора жужжит муха его секретарша уже ушла в картонном стаканчике у него ледяное пиво которое постепенно нагревается и становится противным на вкус указательным пальцем он проводит по шее оттягивая ворот рубашки словно ему не хватает воздуха.

Поднимается чудовищная пыльная буря. В густых желтоватых облаках не различить ни домов ни прохожих. Словно вылетая из сопла атомного двигателя Белый Гигант человек-обезьяна Кинг-Конг и Человек-летучая-мышь Десмонд устремляются ввысь делают петлю и исчезают. Самовоспитатели самопотребители.

Пасхальный Заяц был достаточно упорен чтобы окончательно не опуститься. В его мозгах по-прежнему оставалась искра рассудка. Он делал вид что полностью уничтожен но Гигант заметил как его рука медленно движется по направлению к его груди.

Оба помощника вынули пистолеты.

Спрячь свой пистолет кролик спокойно сказали они.

Пасхальный Заяц с усилием поднял голову. Он и до схватки-то не был особенно красивым мужчиной но теперь выглядел просто устрашающе. Я прикончу тебя проскрежетал он. Ну давай попробуй у меня палец на спусковом крючке. Он попытался раздвинуть в улыбку свои разбитые заячьи губы.

Она была словно скальпель из лавы огня раскаленных углей и металла. Платье у нее было красное оно словно вторая кожа обтягивало в высшей степени приятные округлости до середины икры пояс из лакированной кожи туго обхватывал талию. Она наклонилась к домашнему бару достала бутылку бурбона лед и два стакана. Распрямившись она испуганно обнаружила прямо перед собой круглое черное дуло. Она побелела так что помада на губах стала казаться темной. В глазах появился оттенок испуга. Она прикусила губу. На верхней губе выступили бисеринки пота. Она судорожно провела рукой по лбу. Во всем ее облике чувствовалось напряжение. Не спуская с него глаз она пыталась нащупать телефонную трубку. Она попробовала закричать но в горле пересохло. Рука непроизвольно дернулась ко рту словно она хотела подавить громкий крик. Ее горящий взгляд судорожно перебегал с предмета на предмет в поисках оружия. Подняв глаза она уже знала что ее смертный час пробил она даже не пыталась притворяться или молить о пощаде. Ее игра была сыграна. Как кукла-марионетка она отошла к стене и на ощупь пошла вдоль нее. Глаза ее скользили по прибранному столу. Взгляд задержался на топорике для колки льда. По стеклу ползла муха она отметила это почти бессознательно. Она не могла сказать почему внезапно вспомнила своих родителей. Кожа у нее онемела & ничего не чувствовала. Была серой. В горле рос крик она судорожно пыталась его сдержать. На мгновение у нее потемнело в глазах комната завертелась вокруг нее. Она увидела прямо перед собой лицо на которое она меньше всего рассчитывала увидеть которого она меньше всего ожидала.

Опасения которые мучили ее все эти годы теперь оправдались. Эти опасения стучались в дверь и без предупреждения переступали порог если не получали ответа.

В это время за спиной у Белого Гиганта продолжалась схватка между его любимчиками притворная схватка. Кинг-Конг уже начал сопеть как бегемот-астматик. Человек-летучая-мышь по-прежнему улыбался и срывал все яростные атаки соперника с той же легкой элегантностью с какой он действовал в самом начале сражения. Потом Кинг-Конг неожиданно взревел. Летучей Мыши удалось заманить противника к самой стене. Потом он сорвался вниз с гигантского крюка и человек-обезьяна с треском обрушил кулак прямо в стену. Белый Гигант заботливо поднял ревущего человека-обезьяну с земли крепко прижал его к своей тонкокожей груди его покрытая нежными жилками рука успокаивающе откинула Кинг-Конгу со лба влажные волосы он бормотал какие-то глупые слова слова утешения похлопывал его & насвистывал рыдающему заботливо баюкал своего птенчика и осторожно покачивал его пока его рыдания не перешли в тихий плач потом покрутил его немного над головой пока на перепачканном личике человека-обезьяны не появилась первая тень улыбки подобно солнечному лучику и он всхлипывая не ухватился своими пухлыми ручками за орденские планки & за блестящие патроны на поясе Белого Гиганта. Когда Гигант решил что уже хватит он закончил потасовку поднеся ему к подбородку железный крюк.

Бедненький Кинг-Конг был отброшен на два шага назад покатился кубарем выставил вперед руки чтобы как-то удержаться но сил у него больше не было и он мешком упал на колени.

Походную гладильную доску можно с легкостью соорудить самому обернув простую доску куском фланели. Она почти не занимает места в чемодане и позволяет избежать значительных затрат на оплату штрафов за поврежденные столы в гостиницах.

Дождевик который начал промокать следует смазать с внутренней стороны пчелиным воском а потом прогладить через лист оберточной бумаги.

Белый Гигант пренебрежительно и испытующе схватил оставшегося Человека-летучую-мышь ощупывая этого фокусника и засунув руку сквозь прутья проверил аккумулятор. Испытуемый стоял прямо не шевелясь хотя время от времени по телу его пробегала легкая дрожь которую он силился скрыть но не мог. Похоже Белый Гигант удовлетворен был испытанием. Это было видно по выражению его лица а также по его глазам которые юрко бегали осматривая красивую фигуру Человека-летучей-мыши и не упуская ни одной детали.

Он питал явную слабость к брюнеткам с желтоватой кожей.

Никто не ожидал от столь дородного коротышки в таком возрасте такой невероятной резвости все что осталось было дико бурлящей жидкостью в стакане которая впрочем очень быстро успокоилась лед медленно таял и на лицах присутствующих даже несколько улыбающихся лиц можно было обнаружить их становилось все больше. На повсеместно обожаемого Гиганта явно никто был не в обиде. Они бросились друг другу в объятия они кричали как кричат и плачут люди достигшие своей цели какой бы эта цель ни была.

51. ХЕЙНТЬЕ СЧИТАЕТ ПЕНИЕ СЛИШКОМ БАБСКИМ ЗАНЯТИЕМ

Хейнтье который по-прежнему мечтает стать учителем верховой езды а пение считает исключительно бабским занятием наверняка чаще показывался бы по телевизору если бы голландский закон о защите детей не чинил ему столь мощные препятствия. Хейнтье: разрешение на выступление нам удается получить только использовав многочисленные знакомства. Голландские власти грозят суровыми штрафами. Хейнтье голландский вундеркинд его мальчишеский тенор без проблем берет три октавы и он зарабатывает этим миллионы.

Штурмовик в гражданской одежде медленно идет вдоль берега вода кажется черной редкие огоньки фонарей отражаются в асфальте набережной гравий поскрипывает под его каучуковыми подошвами из кустов то и дело взлетают птицы мокрые ветки хлещут его по лицу. Волны с плеском ударяются о причал. Последнее что он видит в своей жизни это внезапно поднявшуюся в ночное небо стену огня. Пламя с триумфальным шипением поднимается все выше и выше. Сотрясаемый яростью он выкрикивает какое-то имя.

Другой штурмовик одетый в форму продвигается вперед всего лишь на шаг. В семи или восьми метрах от купола он наталкивается на незримую преграду. Удар оказывается довольно болезненным. Он отлетает назад и падает на землю. Бластер выскальзывает у него из рук. Оторопев он шарит по земле в поисках оружия и снова поднимается на ноги. С большей осторожностью чем в первый раз он предпринимает вторую попытку. Сила удара теперь не столь мощная но результат оказывается все тот же. Перед ним невидимая стена которая мешает ему подойти к куполу!

Не успела Конни сообразить что делает этот изверг как он заковал ее левую ногу в цепь которую привязал к ножке тяжелой чугунной печки. Ну вот удовлетворенно прорычал изверг теперь если еще захочешь погулять можешь и печку брать с собой.

С Конни случилось самое плохое что только может произойти с женщиной. Сотни штурмовиков автоматически забрались в укрытие со скоростью света над головами толпы полетели их монтерские робы. Все свои мысли они поменяли на рабочую одежду. Частенько они целый день лежат в постели и глазеют на воображаемые схватки.

И даже в этих случаях глаза у них трогательно детские. Из их бесчисленных ртов почти неслышно вылетают слова глупый милый мальчишка.

Они пытаются предупредить людей что это действительно они! Никто их не слышит. Перед ними неслышащие уши людей с неограниченной властью.

52. ВСЕ КОНЧЕНО

Все кончено! Гангстер Гуфи напрасно пытается сбежать. Полиция окружила его. Инвалид войны Микки попытался преградить нападающим дорогу но Каспи предводитель конного отряда швыряет его на землю (вверху). Для гангстера все пути к спасению отрезаны. Раздается выстрел. С искаженным от боли лицом он хватается за плечо. Секундой позже полицейские арестовывают его (справа). Микки Микки они нагоняют нас что нам делать. Всхлип. Поторопись Гуфи может быть нам удастся дотянуть до моста. Микки они меня уже догнали и отрезали мне уши. Вздох. Ой. А мне они уже три пальца вырвали. У меня кровь течет из всех ран & мне ужасно больно. Микки это конец. Левой ноги у меня больше нет. А посмотри на меня теперь Гуфи. У меня в спине такая глубокая рана что косточки наружу высовываются. Ой-ой. Похоже я сейчас умру Микки. Я тоже умираю милый Гуфи. Вот злодеи. Поцелуй от меня Минни.

Хотя ни у Касперля ни у фей поначалу не было особого желания в этом участвовать они все же усердно помогали и перспектива предстоящего удовольствия окрыляла их. Готовые вырванные органы были закреплены на двух веревках ни себе ни людям повешены на первом же суку и конечно их тут же опробовали. Ах какое это было блаженство. Вот тут-то и случилось это большое кровопускание. Вся троица с дикими воплями вычерчивая огромную дугу упала с небес на землю. К счастью кнут в его руке был как вторая рука он просто сросся с нею.

Заключенные из колонии для малолетних преступников в Плётцензее плакали от волнения и рычали от восторга. Он же выложился полностью. Удо Юргенс чувствовал что публика его понимает. Впервые в жизни он выступал перед заключенными. Перед юными убийцами и грабителями. Я никогда не думал что этот концерт может меня так взволновать. Непривычный сценарий для одной из самых популярных звезд Европы: чиновник юстиции ведет Удо Юргенса через внутренний двор тюрьмы на концерт. Восторгу не было конца. Заключенные аж на стулья взобрались.

У нашего Удо каждый мускул это музыкальная нота у Пита который до сих пор использовал свои мускулы чтобы взламывать автоматы и автомобили слезы навернулись на глаза. Удо сразу сказал: те кто в обществе занимает такое же положение как я просто обязаны сделать то что сделал я.

В их честь природа деревья и кусты все нарядились в свои самые прекрасные одежды насилие порождает насилие порождает насилие порождает насилие. Насилие порождает насилие. Среди зрителей сидит пожилой мужчина. У него в глазах тоже стоят слезы. Это отец Гуфи. Он не может понять как его благовоспитанный сын заблудился в этом заколдованном саду преступлений. Я хочу попросить прощения у всех кого я заставил страдать сказал юноша в своем последнем слове. Звучит правдиво. Минни грозила опасность быть вытянутый наружу из жерла этого механизма. Но левая рука у нее была привязана к ножке скамьи и удерживала ее.

Вот это был шум & гам как здорово вот так невесомо парить в воздухе Минни на которой были надеты лишь крохотные трусики в блестках деловито выставила вперед свои маленькие грудки и визжала всякий раз когда качели взмывали вверх и каждый раз все громче да и другие не ленились они способствовали общему расслабону наступая всем на ноги эти легконогие братья. Гуфи хотел вместе с ними подготовить революцию. Человек который некогда являлся членом коммунистической партии был одержим идеей собрать вокруг себя 50 человек и распечатать ворота Минни хорошим голом. Чтобы встряхнуть людей как следует сказал он на суде. Денег нельзя требовать их нельзя зарабатывать деньги просто нужно брать себе чтобы потом направить их против системы.

Микки неподвижно сидит в своем кресле и смотрит на экран. Его руки вцепились в подлокотники. Лицо у него бледное застывшее. Двенадцатилетний Гуфи тихонько выскальзывает из комнаты. Дети иногда проявляют большой такт. С этого момента врач неподвижно так и стоит там. То что он видит и слышит уже не имеет ничего общего с его трезвыми медицинскими рассуждениями. Что-то совсем другое правит здесь бал что-то превосходящее своей быстротой его силу и ум.

Когда Удо покидал тюрьму сквозь зарешеченные окна ему в последний раз и как-то печально помахали. Заключенные смотрели вдаль в свое не очень надежное будущее. Хотя перед концертом заключенным всячески внушали что надо соблюдать спокойствие и порядок многие из них не смогли совладать с собой. Там на сцене кто-то поет для нас для нас изгоев говорит один из них. Для зрителей это до сих пор непостижимо. От восторга они выбрасывают руки высоко над головой и машут человеку который на час дал им забыть об этой тюрьме. Удо выложился полностью он без сил. Но у входа его под парами уже поджидает разъездная команда все как один со стальными тренированными мускулами: штрафной батальон еще не вздернутый на реях за сотнями ярко-красных губ сияют сотни жемчужных зубов на сотнях голых плеч тонкая пленка пота. Один из них думает в точности как его отец его старший сын Джозеф Кеннеди-мл. Необыкновенно живой очень обходительный в высшей степени умный молодой человек. Джо-мл. образует вершину пирамиды которую составляет отец Кеннеди вместе со своими девятью детьми. Он главный любимчик своего отца и призван в будущем гордо нести знамя своей семьи. Штурман-первопроходец за его спиной толпятся прочие брюзги его клана в белоснежных спортивных костюмах потные тела покрытые ровным загаром фантастически ухоженные и уже неземные со всеми своими раздумьями & нарядами & устремлениями & спешкой. Мушкетеры знатоки тенниса каучуковая прослойка тигры с бензоцистерн Esso роллеры с сенсационной гарантией вплоть до миллиметра. Эта гарантия четко прописана в каждом гарантийном талоне и имеет неограниченный срок действия. Она действует до тех пор пока по закону на этих шинах вообще можно ездить. То есть практически всю жизнь. А шины Кеннеди живут долго. И гарантия эта действительна на всех станциях обслуживания Esso. До чего удобно когда вы в пути. Разумеется мы можем им много чего рассказать про шины Esso. Про их каркас. Про специальные стереокаучуки про 1500 тончайших пластинок или про фокус с распределением шипов. Про сцепление с полотном дороги про курсовую устойчивость про отсутствие сноса на повороте про невозможность водяного клина. За качество этих шин клан Кеннеди может поручиться гарантируя всё до последнего миллиметра. Оно в свою очередь гарантирует максимальную безопасность. Один из них думает точно так же как отец его старший сын Джозеф Кеннеди-мл. Необыкновенно живой очень обходительный в высшей степени умный молодой человек. Джо-мл. образует вершину пирамиды которую выстроил отец Кеннеди.

Когда Удо Юргенс поет свою самую последнюю песню все заключенные среди которых убийцы воры и грабители хором кричат большое спасибо. Какой-то молодой человек запрыгивает на сцену подходит к Удо Юргенсу и протягивает ему подарок. Это резное изделие с инкрустацией. Деревянный пеликан. Дорогой Удо пожалуйста повесьте его так чтобы вы время от времени на него смотрели. Чтобы вы о нас помнили. Но Удо Юргенс и без того никогда не забудет этот концерт. Я раньше и представить себе не мог каким важным событием для меня это окажется. Я не только под впечатлением я переживал всё вместе с ними. Когда знаешь что большинство из них сидит здесь потому что в родительском доме не все ладилось потому что не было человека который бы ими руководил и объяснил бы им разницу между добром & злом. Заключенные еще долго подыскивают нужные слова. Но только до того момента когда сквозь опущенные стекла окон просовываются дула автоматов и начинают выплевывать свой смертоносный заряд. Новое юное поколение правителей за работой! Для него типично: радуются настоящему не признают никотин любят спорт подвижные игры на свежем воздухе почти безо всякой одежды любят свою страну и ее возрождение. Это племя холодно как лед пули четко попадают в молодых заключенных так что любо-дорого. Я ведь уже сказал остальным если придется стрелять то тогда стреляю только я задачи исключительной важности подобают только мне поясняет тот у кого на груди ослепительная белая лента и весь он snow white обращаясь к другому в комбинезоне лимонного цвета на шнуровке. И со слепой яростью он начинает палить куда попало. Его пули попадают не только в юных поклонников Удо Юргенса но и в друзей Гуфи Микки Минни и их сторонников. Жилистые парни по-своему бесстрастны только не терять самообладание думают они. И на повышенных скоростях кадиллак начинает гонку преследования. Сотни тонких мальчишеских ног не привыкли к погоням и тихо поскрипывают под ударами прикладов живая стена из тел туловищ мешанина из рук и ног оседает как срубленный лиственный лес. Град пуль сломил весь боевой авангард: инвалида войны Гуфи грубо брошенного на пол Микки изощренно изуродованную Минни и множество задумчивых молодых людей поклонников Удо Юргенса а также безобидных прохожих и ротозеев. А Удо пошел прочь. Вместе со своей музыкальной группой. Один заключенный без рук и ног и с дыркой в том месте где у него совсем недавно находилась голова вручил Удо букет цветов на который за день до этого заключенные собирали деньги. Мы понимаем что дарим вам сущий пустяк но зато от чистого сердца. Юные заключенные плакали. Вот песня которая заденет вас за живое. Удо размышляет что он может дать молодым людям которым годами пришлось сидеть за решеткой. Он подзадоривает себя он выворачивается наизнанку. А теперь поем все вместе! И Удо поет свою знаменитую Merci cherie. В колонии Плётцензее ему она здорово удалась. Надолго ли все это подействует? Молчаливое рукопожатие скрепляет невысказанное обещание данное многочисленному семейству его американских друзей.

Со стен свисают клочья оберточной бумаги. Учащиеся художественного училища которые умело изрисовали ее нотными ключами и клавиатурами теперь плачут от страха за своих пап & мам испытывая бесконечные муки. Заключенные которые готовились изо всех сил к этому дню теперь забрались под кресла столы и скамьи у каждого из них не хватает по меньшей мере одного жизненно важного органа. Те самые что сколотили из грубых досок сцену чтобы доставить Удо хотя бы маленькую радость раз уж он решился к ним приехать теперь катаются по полу в самых немыслимых позах извиваясь от боли и давя разноцветные бумажные гирлянды.

Джо-мл. подтверждает старое фамильное правило соблюдая которое представитель клана Кеннеди обязательно добьется первенства: после окончания летной школы на полигоне Нэвел-Эйр во Флориде он объявлен лучшим кадетом своего выпуска. Отец воспринимает этот очередной плюс с гордой самоуверенностью. В кругу товарищей Кеннеди особенно любили за его доступность веселый нрав ум и великодушие. В сентябре 1943 года военного летчика передислоцируют в Англию всю зиму 1943/44 года он сидит за штурвалом больших бомбардировщиков которые на Северном море и в проливе Ла-Манш охотятся за немецкими подводными лодками.

Так или иначе сначала на ничего не подозревающих молодых ребят обрушивается настоящий суперзалп. Они сперва глупо улыбаются но потом снимают с себя одежду и все как один устало валятся после своего последнего в жизни боя они утомленно и печально смежают глаза прижимаясь друг к другу чтобы согреться. Медленно очень медленно опускают они головы на грудь уютно уткнувшись в согнутые руки. Они ощущают давление на культи своих рук им кажется что левая рука у них болит. Холод ползет вверх по их мертвым телам и сжимает обруч страха на их шеях. Затем один из них едва живой поднимает вверх свое слепое лицо и в темноте натыкается подбородком на чью-то руку он слышит как владелец руки скрипит от боли зубами и втягивает ртом воздух. Что там спрашивает он из темноты. Ничего. Мне холодно я просто хотел укрыться от холода и больше ничего думает он про себя как будто это оправдание.

Бедное мышиное брюшко Микки подвергается детальному анализу. Но в животе найдены всего лишь какие-то мелкие крошки даже ни одной металлической пуговицы от мундира не нашли. Война не знает пощады. Она повсюду наносит удары миллионы раз. Отец Кеннеди никак не может понять почему из миллионов сыновей судьба поразила именно его сына. Любимцы богов умирают молодыми. Но для отца Кеннеди и это не утешение. А от Гуфи и Минни даже зубика на память не осталось! Неслышно уплывает теннисная школа а загорелые икры убегают навстречу солнцу. С экстрактом конского каштана витаминами хлорофиллом не раздражающими кожу моющими веществами питательным ланолином. Это придает коже свежесть упругость чистоту прекрасное состояние на целый день.

Мне холодно я просто хочу укрыться от холода и больше ничего думаю я как будто это оправдание.

53. ДЕЛО К СОЖАЛЕНИЮ ОБСТОИТ ТАК

Дело к сожалению обстоит так что сегодня порядочные люди находят друг друга с большим трудом. Немногие прочитанные мною строки вызвали у меня впечатление что фройляйн Отто относится к редким особям рода человеческого со здоровым и разумным представлением о домашнем хозяйстве такую партнершу я уже давно искал! Исповедуя эти взгляды она находится на верном пути она может гордиться своей позицией. Я хочу откровенно признаться в том что мечтаю о знакомстве с фройляйн Отто. У меня профессия столяра-краснодеревщика и реставратора старинной мебели. Я успешно окончил курсы скульпторов и инкрустаторов. Мне особенно удавались дизайнерские работы по организации пространства и планирование застроек. Я с удовольствием фотографирую и люблю домашних животных (у меня кот и волнистый попугайчик). Я люблю выезжать на природу питаю пристрастие к музыке и обожаю пофилософствовать на темы современной жизни. Хотя у меня спортивный вид но из всех видов спорта я занимаюсь только настольным теннисом плаванием и велосипедом. С чистой совестью могу сказать что я честный и надежный человек хороший товарищ который прямым реалистичным путем продвигается в своей профессии. Так воспитали меня мои родители и жизнь не раз доказывала мне что это правильно.

Как мужчина 20 лет я прохожу сейчас действительную воинскую службу. Ничего страшного не вижу в том что я несколько моложе фройляйн Отто. Что ей ждать сегодня от одногодков? Только совокуплений вдвоем вчетвером вшестером или еще чего-нибудь в этом роде. А это слишком мало если человек порядочный и у него есть идеалы. В заключение хочу лишь пожелать себе оставаться таким какой я есть. Сердечно приветствую также своих родителей которых можно только поздравить с таким сыном.

54. ШЛЁП-ШЛЁП

Шлёп-шлёп ударяет Белый Гигант ладошкой по правой щеке потом тыльной стороной ладони по левой щеке справа расслабив руку потом слева не напрягая мышц и снова шлёп цвет лица у Человека-летучей-мыши приобретает нездоровый пунцовый оттенок. Шлёп-шлёп удары сыплются по щекам подбородку носу лбу ушам. Такие шлепки это серьезное испытание для любого. А потом вжик и вытереть брызнувшую кровь вжик пока нежные щечки не обретут вновь свободу. Шлёп хлещет Белый Гигант со свистом с оттяжкой сначала по правой щеке ладошкой потом по левой и так все время попеременно Белый Гигант зашлёпывает Человека-летучую-мышь в лучшее будущее.

Ждать это все что мог сделать Человек-летучая-мышь в данной ситуации и это буквально сводило его с ума.

Для Человека-летучей-мыши ожидание закончилось. В течение нескольких дней которые он провел сначала в красном Китае гениальный старший служащий впрыснул Мануэлю-и-Мендосе (см. том 362) остатки мозговой массы атомщика и нобелевского лауреата Кинг-Конга и убедил красных китайских правителей что может обеспечить их господство над всем земным шаром. На бурном заседании центрального комитета коммунистической партии Пекина на котором председательствовал лично товарищ Мао было решено дать Человеку-летучей-мыши зеленый свет на создание кислородной бомбы. Основанием для принятия решения стали опыты которые Человек-летучая-мышь продемонстрировал совету двенадцати старейшин центрального комитета в центре ядерных исследований в Туцза.

И тогда друзья бросились друг другу в объятия и с ликующими криками стали носиться по росистым склонам и тогда друзья бросились друг другу на шею их ликование не имело границ друзья не знали плакать им или смеяться и тогда слезы побежали у них по щекам и забыли друзья все что было раньше и сияя от радости бросились друг другу в объятия. Когда же они заметили что стали предметом насмешек и люди начинают позволять себе с ними все что угодно они снова остепенились. Но они никак не могли воспрепятствовать тому чтобы человек-обезьяна вырвал клок мяса из крылатой руки героя а Человек-летучая-мышь вырвал beautiful белую голую женщину из кишок Кинг-Конга. Они не могли воспрепятствовать тому чтобы по лицу обоих разлился совершенно излишний румянец. Я почти разучился смеяться сказал Человек-летучая-мышь. Я так хотел бы стать полноценным человеком. А как это сделать? Но если у тебя по-прежнему сохраняются иллюзии и надежды значит еще не все потеряно. Жизнь по моему мнению это нечто большее чем просто спанье и работа. Мне бы хотелось пойти куда-нибудь вечером. Но одному? Не сможете ли вы дать мне совет как мне вернуть веру в себя. Я буду очень рад если среди армии читателей найдется парень или девушка у которых подобные проблемы и которые мне напишут.

Шлёп-шлёп на этот раз Белый Гигант делает это совершенно против своей воли. Вот так я хотел его отшлепать маленького проказника сказал Гигант восхищенным жестом указывая на нежную фигурку Человека-летучей-мыши который лежал потом стоял в своем белом трико еще теплый после сна и больше всего на свете хотел немедленно сбежать на улицу и вместе с другими детьми наблюдать за ужасающей природной драмой. Одним поразительно ловким движением Гигант схватил искусно выполненную фигурку Летучей Мыши за отвислый живот и железной рукой подтянул к себе и пусть сопротивляется сколько влезет папочка все равно даст нанашки шлёп шлёп сказал Гигант на уютном венском диалекте. И он ТАК И СДЕЛАЛ!

Я выступаю только за толерантность в том числе в области политики и еще за человечность. Когда я чувствую что кто-то нуждается в помощи я всегда пытаюсь помочь. Как неисправимый идеалист я Белый Гигант верю в деятельный гуманизм и люблю людей. Даже если они бывают совсем не терпимы и считают что могут выразить изложить свои взгляды с помощью силы.

Прекрасно если ты так изобретателен как сейчас Кинг-Конг который заражает всех мужеством и энергией. Мы бы непременно посоветовали ему заняться спортом. К тому же спорт позволяет сохранить молодость и вселяет в человека веру в собственные силы. Стоило бы подумать и о посещении школы танцев. Прежде всего важно не терять самообладания когда получаешь неожиданные удары в спину. Поверьте мне вряд ли существуют люди у которых все идет как по маслу. Главное овладеть искусством не поддаваться разочарованию и никогда не терять чувства юмора.

Белый человек молча оглянулся вокруг. Нет ему здесь больше нечего было делать. За него всё сделали другие. Своих бывших друзей он просто-напросто зашлёпал. Ночи напролет он лежал без сна и размышлял о своей судьбе часто его мучили кошмары. Ему все время снились мужчины которых он не знал.

Двенадцать партийных функционеров собрались вокруг ядерного реактора огромного шаровидного агрегата из титана метров 6 в диаметре заключенного в свинцовую защитную оболочку. Внутри атомы могли разгоняться до скорости света. В этом не было ничего нового новое заключалось в том что искусственный человек Кинг-Конг мог с помощью обстрела этих ускоренных атомов нейтронами одного тайного известного только ему элемента расщеплять атомы и перераспределять частицы как угодно. Так например он мог без проблем перегруппировать атомы железа которое в изобилии содержалось в почвах Китая в желтом лессовом песке в форме гидроксида железа и получить из них атомы золота.

Глаза товарищей начали понемногу загораться что-то с давних пор сковывавшее сердце Белого Гиганта стало плавиться медленно таять затрещали первые льдины. В смущении он попытался отвернуться когда старая мать Человека-летучей-мыши содрогаясь упала в ярко-желтый песок пустыни и была тут же унесена прочь глинистыми волнами. Зашумел дождь и словно в ответ с чудовищным ударом грома гигантская шаровая молния взорвалась над долиной Алто-Мароморо. В тусклом свете карманных фонариков и переносных прожекторов механики возились с мотором. Необъяснимое внутреннее беспокойство охватило его какое-то чувство подсказывало: решение будет принято в ближайшие двадцать четыре часа. Слишком поздно. Прекрасные книги были уже вдоль & поперек запачканы неловкими не в меру усердными ручками Человека-летучей-мыши. Слишком поздно. Шлёп-шлёп захлестал Гигант по остроморденькому мышиному лицу которое при вечернем освещении выглядело гораздо пухлее чем обычно. Шлёп бил Гигант по этому мышиному лицу бил всё снова и снова по этой ухмыляющейся дьявольской харе которая походила больше на звериную нежели на человеческую.

Человеческая готовность помочь не знает границ ни географических ни политических. К счастью однако мы живем в такой стране (в такой стране) где разрешается иметь собственное мнение. Хочется надеяться что так всегда и будет! Сердечные приветы вам и особенно вашей супруге.

Но огонь не мог растопить непроницаемую ледяную оболочку которой Гигант окружил свое сердце. Это был холодный огонь огонь от которого ему самому становилось холодно.

У Человека-летучей-мыши наконец останавливается дыхание. Он тут же умирает задохнувшись.

55. АГЕНТ СИ-АЙ-ЭЙ
МЕДЛЕННО ПРИБЛИЖАЛСЯ

Агент си-ай-эй медленно приближался к нему. Рядом со шлагбаумом он остановился. Взгляд его шарил по той стороне. Ничего кроме колючей проволоки предупредительных щитов и наблюдательных вышек. На той стороне улица превращалась в разбитую дорогу. Внезапно его поняли. Солдат смеясь скалил зубы.

Но у Бэтмена который уже давно поглядывал в эркерное окно поджидая своего припозднившегося Робина камень с сердца упал. Ну Робин рассказывай как на духу что тебя сегодня с утра так тяготило что лежало на сердце тяжким грузом может ты просто зазнался? Да зазнайство и еще вот это и с этими словами Робин выпростал наружу своего попрыгунчика и заставил его танцевать.

Словно буйный ветер промчался мимо ошарашенных зевак прошелся по листве над пустырем над летним привольем раздался возглас Турока бац ладонь протянутая в бесконечность. Кое-кто из жителей деревни с любопытством подошел поближе. Приземление вертолета вызвало интерес суровые фигуры верзил-гимнастов вызвали интерес. Ведь развлечений здесь было мало. Ну разве что кто-нибудь совсем уставший от жизни попытается сбежать с той стороны через колючие проволочные заграждения. Тогда гремят выстрелы и потом есть что обсудить. И если после всего этого человеку все равно удавалось ступить на эту землю живым вот была настоящая сенсация. Подобной сенсации ожидали жители и от вертолета.

По-прежнему с неба падал противный дождь со снегом. Но друзья Гиганта Бэтмен & Робин которые засучив рукава покинули школу мастеров в своей невероятной радости этого не замечали. Инфантильному Робину и легко утомляющемуся Бэтмену весь мир казался изменившимся. Они больше не замечали ни грязной дождливой серости ни горящих городов ни развороченных полей ни плачущих людей ни атомных грибов их лишь забавляло то как весело разбиваются головы об асфальт. В них самих все так же привольно скакало и подпрыгивало.

Люди разглядывали чужаков холодными безжизненными глазами. Но Бэтмену не нужны были зрители. Ведь никогда не исключалась возможность что дело дойдет до стрельбы.

Но никакого предостережения было не нужно. При всех своих маленьких слабостях Робин был абсолютно честным парнем.

Дело было не в нем но своего Бэтмена он старался оберечь от неприятных минут.

Без особых церемоний солдат разделся. Бэтмен ухмыльнулся. Он сунул человеку в подштанниках пятидолларовую бумажку и сам начал раздеваться. Солдатская форма была ему несколько тесна. Она вплотную обтягивала птичью грудь да и штанины были коротковаты. Но на тот момент Бэтмен ничего лучшего не нашел. Он надвинул на самые глаза засаленную фуражку и вышел на улицу. Он небрежно облокотился на опущенный шлагбаум. Улица была пуста. Словно вымерла. Жители деревни укрылись в своих серых домах.

Это ты так считаешь. Вышеупомянутый внезапно подкрался к нему встал сзади и смеясь закрыл ему ладошками глаза умело потерся своим бугорком & своей разгибающей мышцей о его заднюю складчатость прижал свои пухлые ляжки к его быстрым сидельным желвакам чмокнул своими грудными бородавками его студенистую спину & колокольным вихрем торопливо и неуклюже обступил его. Вышеупомянутый внезапно подкрался к нему встал сзади и дал ему такого пинка в злорадную задницу что тот взлетел вверх как напичканный взрывчаткой самолет за которым наблюдает несметное количество встревоженных глаз и исчез в облаках как либератор pb4y 32/271.

Мне кажется ты подрос пока мы не виделись сердечко мое смеясь говорит Бэтмен Робину и нежно целует своего любимчика в ротик-шептун. Сладко ли ему было? Бэтмену не надо было спрашивать об этом Робина. Он видел это по облизывающейся мордочке и благодарным глазам юного сладострастника. Да и по воздушным поцелуям которые тот посылал ему между ног.

Оба пилота специальных самолетов сопровождения неожиданно видят что большой самолет прямо перед ними превращается в огненный шар. Через долю секунды им довелось быть свидетелями того как огненный шар разрывают на части два взрыва. Бесчисленные металлические обломки и пылающие искры дождем посыпались на землю на американском побережье над которым самолет рассыпался на части. И ни одного парашюта не опустилось на землю оба самолета сопровождения послали сигналы тревоги. Но спасать там было уже нечего.

Под прицелом добродушных глаз старого Бэтмена возмущенный протест так и застыл у Робина на губах.

Доли секунды могли решить всё. Потом он замечает и машину. Сначала лишь светлое облачко пыли которое в вечерних сумерках приобретает грязно-серый оттенок. Прыгают по колдобинам конусы света от фар. Дорога довольно неровная. Вдруг свет фар вырывает из тьмы шлагбаум. Ослепленный Бэтмен на мгновение закрывает глаза. Дальний свет фар гаснет. Приближается рокот мотора мустанга который ни с чем не спутаешь.

Бэтмен неподвижен. Небрежно и абсолютно безучастно стоит он прислонившись к шлагбауму. Сквозь прищуренные глаза наблюдает он за суетой солдат в сторожевой будке.

Приветливые карие глаза испытующе смотрят на приближающегося Робина. С малолетства для Робина было праздником если ему разрешали побыть у Бэтмена. Там все было так приветливо & чисто & приятно & мирно.

Эти несколько грубоватые но добродушные нежности были колоссальным стимулом для Робина и его богатырской силы. За последние два года он повзрослел и стал настоящим мускулистым богатырем.

В сентябре 1943 года военного летчика лейтенанта Кеннеди переводят в Англию в первую американскую эскадрилью которая находится в подчинении у Ройял Эйр Форс. Всю зиму 1943/44 года он сидит за штурвалом больших БОМБАРДИРОВЩИКОВ которые на Северном море и в проливе Ла-Манш охотятся за немецкими подводными лодками. В кругу товарищей Кеннеди пользуется особой любовью за свою доступность веселый нрав ум и великодушие. Всем ясно что этот Джозеф Кеннеди-мл. сделает умопомрачительную карьеру. В июле 1944 года Джо-мл. включают в список американских пилотов которым предстоит вернуться в США и оттуда отправиться на Тихий океан. Но Джо добивается того чтобы его имя вычеркнули и записывается добровольцем на выполнение очень опасного задания.

Из-за занавески показалась головка розовощекой блондинки которая широко распахнутыми синими глазами наблюдала за всей этой кутерьмой. Удивленно скривив влажные губы Робин сидел на плечах у Бэтмена зажав его голову между своими ножками-палочками приставив ему к затылку свои яйца наподобие дул пистолетов беспрерывно теребя его золотые волосы так что они стали напоминать своим блеском ниточки меда и широко распахнутыми синими глазами наблюдал за всей этой кутерьмой. Было просто чудом что Бэтмен при всем при этом смог высвободить свою гигантскую руку и остановить машину. Мустанг откатился в сторону. Кто-то сделал два шага мимо Бэтмена и с этим звуком поединок был окончен.

Коротышка отбросил оружие подальше и опрокинулся навзничь. В странной скрюченной позе он остался лежать на дороге.

Тем уютнее было там внутри!

56. ЗВЕЗДЫ ОТРАЖАЛИСЬ

Звезды отражались в вяло струящейся грязной воде. Его голова касалась твердой земли. Но он в общем-то не почувствовал боли удара. Брайан Джонс потерял сознание. Густая темнота окутала его. Брайан Джонс тонул в своем бассейне. Густая чернота окутала его. Брайан Джонс почувствовал внутри ужасающую пустоту. Бедный Брайан Джонс плавает на поверхности своего бассейна он навеки останется в памяти тех кто его знал. Бедный Брайан Джонс с трудом пытается пошевелиться но судорожно скрюченное тело не слушается. Его шатает. С тихим вскриком он протягивает руки в темноту и опрокидывается вперед. Он отдается водяной смерти со всем восторгом и силой молодости. Брайана Джонса уже нет там внизу три сосредоточенных охотничьих пса проходят под тем что когда-то было его окном. Его дыхание прерывисто вода уже проникает сквозь нос рот уши глаза Брайану Джонсу неоткуда больше взять воздуха и он тонет. Брайан еще раз вяло взмахивает руками потом и эти движения прекращаются. Он держится довольно близко к краю бассейна. Но вода все время плещет ему в лицо. Вода стекает с его раздутого лица. Внезапно он еще раз резко отрывает голову от воды еще раз хватает ртом воздух но в легкие попадает одна только вода. Брайан Джонс тонет. Три сосредоточенных охотничьих пса проходят под тем что когда-то было его окном. 2 августа 1944 года Джонсы собрались в порту Хьяннис чтобы почтить память о том дне когда год назад Джон Ф. на своем торпедном катере был атакован японским эскадренным миноносцем. Для Джона Ф. Брайана Джонса война окончена. Извиваясь он яростно ищет воздуха но в легкие попадает одна только вода. Брайан Джонс тонет как любой утопленник. Гитарист смешивается с дождем и вскоре исчезает за непроницаемой стеной воды. А вода продолжает шелестеть свою монотонную песню. Глубины вновь проясняются. Там внизу что-то шевелится и это явно не бревно. Это нечто медленно всплывает с бесконечно легкомысленной мягкостью нечто большое темное скрюченное и всплывая оно вяло поворачивается в воде туда и сюда. Водную гладь оно наверняка прорезало легко и без спешки.

В тот же самый момент Брайан Джонс ощущает затылком что-то холодное. Холодная вода окружает его со всех сторон он слегка вздрагивает от внезапного прикосновения. Он устало сдается и тонет. Было лето. И листья падали на воду с деревьев и медленно плыли прочь. Брайан больше не плакал он не мог больше плакать. Была только эта ужасная дрожь охватившая его с головы до пят до мертвых пят. Когда врач возвращается он несет перед собой блестящую хромированную чашу держа ее обеими руками медленно почти торжественно. Чаша наполнена стерильной молочной кислотой. А в молочной кислоте лежит сердце Брайана Джонса.

Голова Джонса упала на грудь. Он уже точно не знал когда это случилось когда он утонул. Судя по смутным размытым ощущениям в голове это произошло довольно давно. Он складывает руки на груди вытягивает ноги принимая аэродинамическую позу и проталкивается сквозь воду в неизвестность в холод и темноту несмотря на молодость он осознает свою ответственность. Брайан Джонс рыбкой плывет в воде бассейна и внезапно умирает. Дыхание становится все тише и затем замирает окончательно. Брайан мертв. Три сосредоточенных охотничьих пса проходят под тем что когда-то было его окном.

Я видел мокрую черную шерсть кожаную куртку чернее чернил пару бриджей. Я видел ботинки и что-то очень неприятное вспухавшее между ботинками и нижним краем бриджей. Я видел как в воде разглаживается волна светлых волос на мгновение замирает словно в расчете на сильный эффект и затем снова запутывается исчезая. Это нечто еще раз переворачивается и над поверхностью воды поднимается рука рука с раздутыми пальцами это рука монстра. Затем показывается лицо. Раздувшаяся тестообразная серовато-белая масса без очертаний без глаз без рта. Кусок серого теста кошмарный призрак с человеческими волосами тяжелое ожерелье из зеленых камней окольцовывало то что когда-то было шеей почти утонув в этом сером тесте большие зеленые камни с золотыми кольцами между ними.

Брайан Джонс сжимается в комочек делается совсем маленьким извивается как угорь прячет лицо под крыло подтягивает колени ко лбу обхватывает руками икры сворачивается в клубок прячет свои раны от ударов пинков уколов и пуль ладошками закрывает все свои детские горести затыкает уши и тонет. Брайан Джонс мертв 3 сосредоточенных охотничьих пса проходят под тем что когда-то было его окном. Его голос звучит словно из далекого далека из-за гор сквозь тяжкую молчаливую зелень деревьев.

Его пальцы не более чем полированные кости.

57. КАК МЕНЯ ОБРАДОВАЛА

Как меня обрадовала ваша статья: Камилло Фельген. Наконец-то отдана дань благодарности этому усердному и выдающемуся человеку Камилло Фельгену! Десять лет подряд я его слушал и мое восхищение им очень велико. Я хочу похвалить вас за очень интересную прямо первоклассную статью которую вы посвятили Камилло. Вы нашли правильную интонацию потому что все именно так и есть как вы пишете. По моему мнению вы не сообщили только одну важную вещь которая на мой взгляд очень желательна: десять лет подряд Камилло учил европейскую молодежь только хорошему и доброму он занимался воспитанием молодежи во всех своих передачах. Он учил молодых быть добрыми не заниматься ничем плохим прививал им почтение к пожилым людям и это я считаю самым замечательным в его выдающейся деятельности!

58. НАСИЛИЕ ПОРОЖДАЕТ НАСИЛИЕ

Насилие порождает насилие! НАСИЛИЕ ПОРОЖДАЕТ НАСИЛИЕ! Насилие порождает насилие. Насилие порождает: насилие. Насилие порождает насилие. Насилие порождает насилие. Насилие порождает насилие. Насилие порождает насилие. НАСИЛИЕ ПОРОЖДАЕТ НАСИЛИЕ!

59. ТОЛСТЯК НА ЗАДНЕМ СИДЕНЬЕ

Толстяк на заднем сиденье ухмыльнулся. Да ладно шеф это же просто газовый пистолет с быстродействующим но безобидным паралитическим газом. В руках у него был короткоствольный револьвер. Здоровый как бык человек не двигался. Голова у него вновь упала на грудь и для обоих мужчин он являл собой картину полного изнеможения. Великаны-полицейские были не в обиде за этот приятный перерыв они выказали еще большее рвение как следует занявшись феями. Ловко как ветер соскользнули мундироносцы от шуточек к делу дубинки у них на передке их алмазные сверла проталкивались в неизвестное и извергая влагу возвращались из неизвестного назад. Кто был главным полицейским конечно Отто опять был главным полицейским этот властитель всего мира. Отто стонет и закрывает глаза. Солнце поднялось высоко в небо. Фея № 1 поднимает конец Отто на веревочке поддерживая в нем утреннее настроение ей приходилось часто отдыхать хотя работа была несложная. Жгучие и яркие солнечные лучи били ему в лицо видимо скоро будет еще жарче а его положение довершило дело и через короткое время он оказался совершенно разбит. Гигантский полицейский конец Отто простирался от горизонта до горизонта его живописный мундир с ходу отбивал любые нападки его дубинка довершала остальное чтобы отпугнуть людей.

Быть может и вы относитесь к тому огромному числу людей проблемы которых объясняются болезненными скоплениями газов в области желудка и кишечника. Отто тоже принадлежит к таким людям. Ведь метеоризм является причиной не только неприятного ощущения тяжести в животе но даже и удушья сердцебиения и чувства стесненности в груди. Как у Отто. При мучительных болях от вздутия живота резиновая дубинка Отто которая молотит по животу пенг-пенг и его газовый пистолет который брызжет в глаза пш-пш оказывают ему срочную помощь. Позвольте а не острые ли это мышиные зубки вгрызаются в член Отто это были Микки и Минни бушующие вихри которые ощупывали член Отто лизали его обнюхивали и бегали по нему. Одним яростным броском в котором сосредоточилась вся драчливость накопленная за долгие годы Отто швырнул обоих прямо на их родину в Центральную Азию.

Мировые научные исследования показали что при метеоризме газы в животе находятся не в свободной форме а заключены в мягкие пенные пузырьки. Поэтому газы не проникают сквозь стенки кишечника а скапливаются внутри. Нет на улице сегодня было все очень странно. Не ходил трамвай не было автобусов и метро а шпалеры людей вдоль тротуаров были столь мощны что Отто лишь с большим трудом мог заглянуть через них. Большинство лежавших там трупов были Отто известны еще с того времени когда он летом сидел на балконе. Продвижение по грудам тел разодранных туловищ по судорожно искривленным сплетениям рук и ног сломанным суставам было нелегким делом. Шаг ступишь на втором поскользнешься. Да еще в высоких полицейских сапогах таких неудобных и надоевших. Может снять их да засунуть в мешок? Отто подумал. Нет не пойдет. Его родители полагаются на то что он носит форменные сапоги и будет нечестно их обманывать. Если не обращать внимания на мелкие изъяны Отто является абсолютно честным орудием в руках властей предержащих. Дубинке и пистолету не прибавится чистоты если он сунет туда же

242

мокрые окровавленные сапоги. Со своим азартно подпрыгивающим голым концом болтающейся мошонкой и белыми манжетами лихо и нагло заломив на затылок фуражку он так и лупит сквозь плач крики вопли раздающиеся отовсюду. Его белоснежная чисто вымытая задница сметает на своем пути все что подворачивается. Там встал перед ним бедный Гуфи как проситель а не как господин. Вой джипа совсем поблизости почти полностью поглощал его жалобную мольбу. Затих он только тогда когда Отто прижал его к корявому стволу сосны. И тут же тонкий нейлоновый шнур врезался в его правое запястье. Он сгибает руку и напруживает мышцы. С неистовой силой Отто этот полуголый изверг-полицейский заламывает Гуфи обе руки назад вокруг ствола и связывает запястья нейлоновой удавкой. Гуфи чувствует как веревка врезается в тело. Он сжимает кулаки и подтягивает запястья одно к другому. Таким образом у него получается зазор в несколько миллиметров. Но он понимает что этого недостаточно чтобы сбросить с рук веревку. На данный момент хватит и того что кровь нормально пульсирует. Но как только Отто взглянув глазом профессионала заметил что кровь у Гуфи в руках пульсирует нормально он тут же прибегает к своему всемирно известному концу и просто обрезает руки Гуфи в том месте где они были связаны. С ухмылкой сожаления Гуфи невольно наблюдает как из его обрубков уходят соки жизни. У Отто очень довольное лицо ведь он так легко отделался. Отто ощущает сегодня какое-то давление Отто этот исполнительный орган сегодня полностью во власти этого ощущения.

Содержащийся в Отто практически безвредный реагент способен молниеносно разлагать слизистые кишечные пузырьки. Тогда освобожденный воздух может снова всасываться через клетки кишечника или выходить естественным образом! Дополнительно введенные в Отто ферменты устойчиво интенсифицируют пищеварение. Воздействие Отто проявляется в быстро наступающем чувстве облегчения и прежде всего в исчезновении досадного ощущения раздутости. Здесь опять-таки настала очередь оркестра полиции музыканты которого своими живописными историческими костюмами привнесли яркую цветовую гамму в серое однообразие. Исполнялись лендлеры и марши. Но начальник караула подчиненный Отто похоже не замечает гнетущей атмосферы. Он крайне неудовлетворен вниманием и участием в уроке. Обе стороны как обучающая так и обучаемая облегченно вздыхают услышав школьный звонок который оповещает о конце урока. Приветствуя окружающих и поигрывая плетками они выходят наружу на улицу где люди испытывают светлую радость завидев молодого пышущего здоровьем парня. Шутливые легкие удары по удивительно гладкому источнику плодородия подталкивают Отто сквозь толпу которую он в свою очередь одаривает гораздо более ощутимыми ударами он мясник и полицейский.

Никто не хочет приниматься за свой бутерброд который все обычно уничтожают уже на первой перемене.

Каждый ученик получает в руки агрегат. Каждый ученик получает в руки смертоносный агрегат.

Тело Гуфи изгибается дугой когда Отто наконец оставляет его в покое. С омерзительной радостью этот широкоплечий человек привязывает обрубки рук Гуфи к развилке дерева позади него так что светловолосый богатырь вынужден терпеть свой плен в этом неестественном положении. Гуфи знают что его мышцы меньше чем через 3 часа уже затекут. Длительность этой коварной пытки вымотает его больше чем мгновенная жестокая боль причиненная Отто. Отто ухмыляется. Он знает механизм своей пытки и похоже наслаждается этим. Потом он говорит желаю тебе чтобы у тебя поджилки не начали трястись.

Во дворе уже собрались и другие классы. Старшие командиры распределяют ружья водометы и пулеметы. Надеть плащи предусмотрительно кричит майор полиции вслед молодежи которая вся как есть полуголая рвалась на волю из класса.

При этом он расслабленно улыбается. Он понимает что юным созданиям необходима свобода (свобода). Перешучиваясь они образуют длинную цепь и ровняют с землей все живое. Отто с улыбкой смотрит на Минни которая умирая протягивает ему руку. Ну ну как мы себя чувствуем спрашивает он. Прекрасно сонно улыбается она глядя в полуденную мглу. Отто не ленится он берет камень и бросает его прямо в черепушку Минни. Солнце пытается уползти за пелену облаков. Мышь скрипя сжимает свои острые зубы и распрямляется. Тяжело дыша она приваливается к искривленному стволу сосны. Хохот Отто лишь смутно доходит до ее сознания. Шум в голове поглощает любой звук. Молодые стражи порядка со смехом приступают к делу. Тут быстро согреешься. Глаза блестят щеки горят молодые руки работают с напряжением всех мышц. Вскоре результат налицо.

На короткий срок исчезают также неприятности связанные со скоплением газов проблемы с сердцем и кровообращением.

Голос Отто становится теперь резким и свистящим как шипение гадюки.

Дети у меня руки совсем затекли. Отто согревает дыханием свои красные пальцы. Некоторое время было ничего не слышно кроме свиста кнута мурлыканья пулеметов и плача жертв. Общие усилия парнишек были вскоре вознаграждены. Сердца у них бешено колотились когда они устроили перерыв. Майор непринужденно бросил Отто шенкель прямо в приоткрытую пасть. Отто ответил на удар и другие тоже в долгу не остались. Скоро между друзьями развернулось настоящее шутливое сражение. Там & сям со свистом пролетают обломки при всеобщем смехе визге и ликовании в ход идут снаряды. Круглое лицо Отто вытягивается от разочарования. Затем майор приносит Отто Сладострастнику который как раз намеревался улизнуть его утраченные полицейские яйца. Но их нужно немножко почистить они все в дерьме.

Здоровый как бык Гуфи сглатывает слюну. В глотке у него пересохло язык распух. Воды слабым голосом произносит он. Он не знает меры и поэтому с него снимают кожу. Слышатся ликующие детские голоса как только у какого-нибудь полицейского падает стоящий конец. Воспитатели сыплют шуточками.

Не было слышно никакого ответа. Каждый думал что говорить будет другой. Сладко ли им было? Майору не надо было спрашивать об этом у ребят. Он видел это по облизывающимся мордочкам и благодарным глазам юных забавников!

60. ВЫ ПОЗНАКОМИЛИ СВОИХ ЧИТАТЕЛЕЙ

Вы познакомили своих читателей с долгоиграющей пластинкой «Золотой вечерний час». На пластинке действительно немало прекрасных немецких песен. Но эта песня: Спи золотое вечернее солнце ангел мой золотой засыпай звездочки вышли на темное небо сколько их ну-ка дружок сосчитай! Ее до сих пор нигде было не сыскать. Да к тому же восхитительный голос некоего Рудольфа Шока! Именно в наше время когда к нам заносят столько иноземной крайне отвратительно звучащей музыки эти старые исконные немецкие песни в том числе и народные действуют как бальзам для наших измученных ушей. За то прекрасное что вы нам всем подарили я хотела бы поблагодарить вас от всего сердца.

Эммануэль сгибает свои длинные детские ноги встает на колени потом садится на землю и подстилает для Марии свой выходной пиджак. Здесь наконец-то можно вздохнуть свободно среди природы здесь его не преследует запах заплесневелых рабочих шапок кожаных плащей довоенных галстуков жилетов ботинок горного стрелка шерстяных носков рюкзаков тирольских кистей шнурков армейских курток штанов горного проводника. Здесь можно наконец-то подышать вольным воздухом. Затем Мария знакомится со своим Мануэлем. Его губы шепчут нежные слова которых она никогда не знала. Его руки умеют так нежно гладить. Она замечает как день ото дня расцветает. Ее походка становится все более упругой голос мягким рот манящим глаза блестящими. Тогда он целует ее груди и рука об руку они отправляются в более плодоносную волшебную страну 10 000 приключений. У них за спиной остаются горящие города деревни обугленные

247

трупы взорванные дома атомная пыль и больше ничего. У девяти человек из десяти от этого пропал бы сон. Он отвинчивает крышечку бутылки и подставляет горлышко к пересохшим губам Марии. Светловолосая женщина жадно пьет. Она чувствует как к ней мгновенно возвращаются силы. Глубоко вздохнув она откидывается назад и чуть онемевшим языком проводит по губам. Они тесно прижимаются друг к другу словно беспомощные птички в гнезде. Свежий ночной воздух льется на них он не приносит никаких звуков которые им знакомы. Они чуть шеи себе не сломали стискивая друг друга Мануэль на корточках Мария спрятав голову в ямку у него на животе сплетя руки вдыхая ноздрями дыхание друг друга колени у подбородка приняв форму яйца вот так они хотели согреться простачки. Они медленно теряют сознание и постепенно погружаются в сон.

61. ИНТЕРМЕДИЯ МЕЖДУ ТУЛИ КУПФЕРБЕРГОМ & УРА-ЧУДО-ДЕВОЧКОЙ

Интермедия между Тули Купфербергом & ура-чудо-девочкой Рейей. Тули пообещал скоро вернуться и предъявил своей боевой подруге Рейе несколько концов которые она использовала для развлечения. С задорными криками они помчались вдаль по белой равнине сегодня отличный сухой снег ели черными силуэтами выделялись на фоне ясного холодного голубого неба канты лыж скрипели каждый лыжник вздымал за собой облако снежное облако. Нацисты дико улюлюкают и раз-два кидаются с отвесных склонов в темную морозную долину. Где отбросы поколений обретаются в шикарных многоэтажках и беспечно забавляются.

Гнев Тули Купферберга странным образом улетучился когда он увидел сияющие глаза своей чудо-девочки весь ее милый облик. Но материнские глаза видят всё.

Операция перешла в свою самую драматическую фазу. Он осторожно накладывает зажим на аорту и делает в ней надрез. Отделяет сердце сначала со стороны левого потом со стороны правого желудочка следит за тем чтобы с каждой стороны остался достаточно длинный обрубок: отростки ведущие к легким и венам можно будет потом легко подсоединить и пришить к соответствующим отводам донорского сердца.

Тули вскрывает ура-чудо-девочку с помощью своего конца на верхушке которого у него от природы растет бритва. Чудо-девочка вскрыта & ее замечательное содержание предстало насмешливым взглядам толпы зрителей на глазах у всех происходит неслыханное раздевание невинного жаворонка! Чудо-девочка Рейя беспомощная & беззащитная проплыла перед жадной бесстыдной толпой. Гляди Тули придет срок и тебе достанется.

Потом он вынимает у чудо-девочки сердце. Кладет его в чашу рядом с собой. С чувством представляющим собой смесь смятения и уверенности доктор Курт Купферберг смотрит в пустую полость где было сердце девушки. 19 часов 15 минут. В приемной вместе стоят у окна Эд Сандерс и МАРГО они смотрят в темноту на мерцающую световую мозаику города. Долгое время они молчат. Они одни в этом пространстве комнаты одни во времени и пространстве. Марго внезапно говорит Эд. Я хочу кое-что с тобой обсудить. Да? Она поворачивает голову ее большие голубые глаза смотрят ему в лицо вопрошающе мучительно-напряженно. Эд Сандерс сглатывает торопливо закуривает сигарету.

Но она не хочет думать о том что будет дальше. Нет! Еще стояли смеющиеся солнечные дни она поступала так как делали многие жители воздушной среды которые беззаботно порхали в воздухе и не думали о завтрашнем дне. Тули Купферберг пронзает лобковую кость чудо-девочки своим маскулинным лучом просверливает все ее ткани вынимает ее из внешней кожной оболочки оборачивает ее толстую щеку вокруг своей руки и натягивает так что в грудях Рейи начинается гроза он начинает пожирать ее прелести. Тули еще раз погружает туда свои палки а потом подхватывает ее под мышки и бросается в ясное холодное одиночество где он один со своим опрыскивателем и самим собой. За каждой молодой елью сидит нацист и наваливает коричневую триумфальную кучу среди фирнистой хвойной свежести там где снежная заметь крутится на верхушках сугробов.

Тули Купферберг останавливается вдыхает дым резко выдыхает его обратно. Рейя опускает глаза. Она этого ожидала когда-нибудь он должен был задать этот вопрос. Извини бормочет Тули он неверно истолковывает ее молчание. Голос отказывается ему служить он не знает что говорить дальше теряет самообладание. Он резко отворачивается прислоняется к стене приемной спиной к МАРГО.

Сбоку от себя Тули обнаруживает расщелину заполненную камнями. Камень величиной с кулак лежит так близко что до него можно дотянуться. Он молниеносно хватает его. Он прижимается к скальной стене и когда мужчина а может женщина замечает его Тули изо всех сил швыряет камень. Он попадает противнику в грудь. Он со стоном отшатывается назад.

Чудо-девочка Рейя тесно прижимает свою темноволосую голову к плечу Купферберга к его ногам к его рукам с немой благодарностью. Ее осчастливливает вовсе не замечательная дружба невзирая на которую она получила в свое распоряжение нового милого котика нет настоящая боевая закалка по-прежнему ей на пользу даже если тебе уже давно пора заботиться о собственных цыплятках.

Тули Купферберг невольно посмеивается про себя он ведь ее теперь явно лучше знает эту откормочную свинью Рейю.

Ели отбрасывают на снег все удлиняющиеся фиолетовые тени. Они скрипят как пулеметы под грандиозный пердеж нацистов которые до сих пор неподвижно сидят там и поочередно выскакивают. Одиноко скользит возглас ура! по ледникам в горной тиши его дыхание почти неощутимо только легкое дуновение его голос столь же слаб и тонок как его тело. Он говорит подчеркнуто громко. Тули Купферберг знаком с этой категорией мужчин. Они лишены каких бы то ни было чувств. Шансов он не видит никаких. Он бросается на край скалы и взмывает в вышину. Он медленно распрямляется. Взгляд не отрывается от противника. Позиция Тули укрепилась. Теперь его взгляд скользит по краю скалы. Тень стала более отчетливой. Он видит как худощавая фигурка нагибается вперед. Теперь он этот здоровенный бык действует хладнокровно и решительно он знает что в предстоящей битве может выжить только один человек.

Вверху фигура ковбоя отрывается от небольшого укрытия с пронзительным криком отделяется от края летит несколько метров по воздуху приземляется в элегантном прыжке и тут же вновь бросается в белую глубь. Вверху фигура штурмовика Хельмута отрывается от небольшого укрытия с пронзительным криком отделяется от края летит несколько метров по воздуху приземляется с элегантным разворотом и тут же вновь бросается в белую глубь. Вверху фигура какой-то девушки фигура чудо-девочки отрывается от небольшого укрытия с пронзительным криком отделяется от края летит несколько метров по воздуху приземляется в элегантном мягком прыжке и тут же вновь бросается в белую глубь. 3 фигуры отчаянно бросаются стремглав вниз по отвесному склону задорные звонкие голоса смешиваются со скрежетом стальных подрезов по фирну. Девушка в красной шерстяной шапочке не снимая заиндевелых рукавичек достает из кармана лыжных брюк плитку шоколада разворачивает серебристую фольгу отламывает и угощает товарищей. Серебристая бумажка крутится в снежном вихре нежно как пылинка проносится над яйцами Тули Купферберга подобно скользким щупальцам. Тули растопыривает руки & ноги и хватает прижимает обнимает серебристую бумажку и тут же бросается вперед. Молодая девушка в своей энергичной манере сразу принимается за дело. Ей нужно лишь немного времени чтобы наладить контакт. Рука дрожит трепещет как дикая розочка и стрекочет маленький пенис Тули Купферберга на стальной оконечности ее лыжной палки из цельного дуба. Слышится высокочастотный звук как от пения невероятного количества колибри. Тут МАРГО пришлось сначала показать ему как можно вдобавок еще и восхищаться космосом. Здоровые зубы с хрустом вгрызаются в яблоко. На таком морозе особенно приятно немного перекусить. Товарищи тяжело дыша тоже останавливаются опираясь на петли своих лыжных палок изо рта у них вылетают маленькие облачка пара. Ветер играет их белокурыми локонами шарфами и эмблемами.

Это никакой не анекдот это чистая правда: маленький Джозеф Кеннеди уже в возрасте 11 лет хвастался: я буду президентом Соединенных Штатов! Многие мальчишки заявляют нечто подобное и родители реагируют на их слова снисходительной улыбкой. Но Джо очень серьезно отнесся к этому высказыванию. И все воспитание было направлено на достижение этой самой высокой из всех целей. Еще когда Джо учился в колледже Кеннеди был уверен: у моего сына задатки президента. Это только на первый взгляд выглядит высокомерно. Джо был убежден что его старший сын достигнет своей цели.

Ура! теперь они образовали цепь отбросили в сторону лыжные палки как досадную помеху и мчатся как гончие поджарые и вышколенные явно благородной породы к синей гробнице елей. 2 оберштурмбаннфюрера старые нацисты стягивают друг у друга с задниц коричневые кальсоны и пердят друг на друга становясь коричневее кока-колы пока тихая родная долина не начинает содрогаться наблюдая как обрушиваются печные трубы из которых валит дым отечества. Кусочек сыра и яблоко среди зимнего пейзажа это зачастую вкуснее чем самый лучший закусон в кафешке.

Чудо-девочка долго молчит тихо склонив голову на плечо своего мужа. Как хорошо ей стало от его доброго слова. Благостно до глубины души.

(Чудо-девочка долго молчит тихо прикрывая дыру в своей сердцевинке которая означает начало ее умерщвления.)

Нет со строго научной точки зрения внезапный оптимизм Тули Купферберга не объяснить. Только чувство говорит в нем когда он приступает к сшиванию места соединения сосудов прислушиваясь попутно к анестезиологу бормочущему данные приборов через короткие промежутки. Необъяснимая тайная интуиция неистового врача подсказывала: все будет хорошо! МАРГО будет жить!

Треснула ветка. Он осторожно прячется за куст на краю поляны. Быстрым взглядом осматривает он землю в поисках подходящего сука который можно использовать в качестве оружия. Он ничего не находит. Его губы сжимаются. Он знает что его положение становится опаснее с каждой минутой. Сквозь густую листву он смотрит на узкую просеку.

Неизвестно кто бросил первый снежный снаряд но в мгновение ока все оказались вовлечены в настоящее снежное сражение холодные ледяные снежки летают туда и сюда смех и крики раздаются то там где красный рот то там где белый лоб или кроваво-красное облачение монаха. Снег сыплется на голубые глаза красные губы юные глаза юные губы юные светлые волосы юные руки и ноги юные яйца юные концы и все прочее юное. Высокий нацист одетый наполовину в гражданское надзирает за пестрой кутерьмой вмешивается то там то здесь наводя порядок со штуцером в специальном чехле который он достает когда игра начинает переходить границы и тогда он засовывает свой могучий очистительный палец в пульсирующие от радости розовые дырки и возвращается оттуда весь красный оставляя позади вопли и скакание на одной ножке. Но он по-прежнему не сторонник слишком длительных сантиментов. Он плутовато поднимает седовласую голову. Когда ему приходится в качестве наказания привязывать бесцветный червеобразный конец одного долговязого парня к еловому шесту то в первую очередь страдания испытывает он сам. Тогда он утишает сердечные муки провинившегося поглаживаниями поцелуями и орошениями.

Все они хотят чтобы их считали великой ценностью. А разве в нем они не обрели спутника скорее даже друга нежели начальника который несмотря на некоторые эпизоды несгибаемой жестокости никогда не вешает голову?

Но позволить себе сразу пасть духом? Нет. Старый эсэсовец покупает ликующим детям плитку шоколада. Теперь ему живется не так как этим Хансу и Хельмуту. Теперь он определенно чего-нибудь да добьется. Зима приходит в их края и приносит белый мех из снежинок.

Тули Купферберг сшивает основание левого предсердия с тем обрубком. Потом основание правого предсердия. Налаживает кровоснабжение донорского сердца с помощью аппарата сердце-легкие сшивает края аорты. Потихоньку довести температуру крови до нормальной командует он. Еще один этап операции преодолен. Сердце МАРГО находится теперь в груди чудо-девочки оно стало ее частицей и получает кровь из аппарата через систему кровообращения ее тела оно больше не отделено. 20 часов 10 минут. Тело чудо-девочки вновь достигло нормальной температуры 36 градусов по Цельсию.

В середине июля 1941 года за несколько дней до своего 26-летия и почти за семь месяцев до нападения японцев на Пёрл-Харбор Джо Кеннеди-мл. добровольцем записывается в военные летчики. В порту Хьяннис происходит сердечное прощание с семьей. Папа Кеннеди одобряет поступок сына. К этому моменту семейству Кеннеди становится ясно что США будут втянуты в войну. Но для Джо война означает разновидность жесткой игры и большое поле боя которое нельзя покидать когда ожидается опасная решающая игра.

Иногда опускается вечер и тогда он снимает наказанных грешников тогда гестаповский бонза снимает с сучьев в достаточной мере наказанных грешников. Пианино играет самые модные шлягеры каждый нацист радуется глядя на разгулявшуюся молодежь которая кружится в танце под эти мелодии. Да и сам он главный начальник несмотря на свой возраст тоже с удовольствием участвует в развлечениях молодежи на один-два танца его еще хватает он не прочь малость попрыгать на танцульках если настроение хорошее. Иногда он сам тянет в круг девчонку и танцует с ней и довольно неплохо. Иногда он заказывает одну из своих любимых песен и задорно танцует под бренчание пианино с какой-нибудь девчонкой. Он сам не прочь попрыгать на танцульках несмотря на свой преклонный возраст. Если устраивают танцы то он по-прежнему с удовольствием принимает в них участие. Он быстренько находит себе девчонку и без устали танцует с ней. Натанцевавшись он берет чудо-девочку которую только что обнимал и попросту спускает ее в унитаз а потом хорошенько моет руки. Затем он вновь присоединяется к веселому застолью. Деревья которые сейчас сгибаются под тяжестью снега летом склонятся под тяжестью плодов. В природе всегда появление & исчезновение. Это постоянный уход & возвращение. Это постоянное самоутверждение. Это постоянная победа более сильного над более слабым. Такой вот долговязый бледный Отто тащится по деревянному полу без соков & сил. Червем извивается он минуя праздники которые празднуются когда выпадают.

Дефибриллятор! кричит Тули Купферберг. Чудо-девочка передает ему два электрода металлические палочки в виде лопаток которые подносят прямо к сердцу и возбуждают его током.

Трах! Первый удар тока 20 ватт в сердце МАРГО которое еще недавно было сердцем чудо-девочки содрогание нервов надежда приказ жить. Но сердце остается немым и неподвижным.

Перед самым стартом Джо Кеннеди приветливо машет команде обслуживания которая остается на земле и говорит одному из своих механиков: если я не вернусь скажи парням пусть поделят мои свежие яйца поровну!

Тули желает МАРГО приятного сна и исчезает. Худощавый человек встает у окна и смотрит на заходящее солнце на заход солнца. Солнце это кроваво-красный круг. Тули изо всех сил прижимает чудо-девочку так что она не может больше ничего увидеть.

Под прикрытием хижины они остановились. Здесь метель их не достанет. Окоченевшими руками они развязывают тесемки снимают толстые рукавицы стряхивают снег с курток ветровок и брюк. Хельмут освобождает подбородок и обнажает ряд здоровых крепких зубов на фоне красных десен. Ох цветочки цветут на окошке! Он приветствует своих юных друзей с обычной сердечностью. Как только все вновь оказались вместе начались подначки. Все снова невольно рассмеялись. Это и было в Хельмуте (Хельмуте) хуже всего на него невозможно было всерьез рассердиться. С шумом и смехом парни и девчонки словно цыплята сгрудились вокруг своего руководителя который часто используемыми приемами опустошал их дырки ого-го! Гора бумаги пошла на все это. Эти несложные правила распорядка придают блеск глазам и развязывают языки так что они как в дни детства могут шутить & смеяться со своим руководителем. Но сегодня они пришли сюда не ради шуток а для выполнения сурового долга. Золотисто-желтая моча Хельмута плавает на поверхности вкусного теплого молока. Двое старших по чину тщательно вытирают этого великана при этом они крепко держат его под мышки и подпирают его колоссальную задницу. Вся серьезность этой миссии написана у них на лицах. Они еще долго стоят возле хижины смотрят как опускается ночь погружает ковбоя во мрак и треплет их кудрявые волосы. Под стрелой Хельмут кажется замер и тут же снова вздрогнул. Пора. И тогда Роуз Кеннеди которая восприняла смерть своего сына Джозефа с большой стойкостью произнесла слова которые и сегодня считает судьбоносными вся семья: если гибнет один Кеннеди на его место встает другой. У меня еще 3 сыновей. На место Джо встанет Джон. Если и с ним что-нибудь случится его место займет Роберт. В этих молодых людях и на самом деле есть что-то подкупающее. В том как они стоят там подставив лица & тела горному ветру. В том как они возятся там под растопыренными ногами Хельмута и натирают его лыжи своими соплями.

О мама мама! Второй удар тока. Сердечная мышца как будто вздыбилась словно человек на электрическом стуле и начала вибрировать. Но потом содрогание превращается в ритм сердце начинает биться. Оно бьется бьется! Боже милостивый оно бьется!

Давно растаял снег. Давно уже страшная армия строем вошла в долину. Хельмут кормит свою синицу в парке. И тут теплый свет угас в его глазах.

62. ЧЕЛОВЕК С БЕЛЫМИ ВОЛОСАМИ

Человек с белыми волосами и черными горящими глазами который называл себя Пасхальным Зайцем улыбнулся и вдруг посерьезнел. Он элегантно склонился перед дамами и сказал: позвольте мне пожалуйста на минутку удалиться. Я отлучусь для короткого но очень важного телефонного разговора и тут же снова вернусь!

Стрелой летят стройные скаковые лошади по дорожке ипподрома. Пасхальный Заяц старый засранец от которого за километр разит старыми подштанниками наблюдает за зрелищем в бинокль и время от времени как дитя хлопает в ладоши. И прыгает с ножки на ножку и крутится волчком и кувыркается через голову. Ингеборг утратила всякий страх перед стариком. Неужели просто минутная слабость внезапно побудила ее сомкнуть объятия вокруг шеи одинокого старого Пасхального Зайца? Морщинистые руки гладят круглое доверчивое детское личико с такими чистыми и невинными глазами. А потом морщинистые руки расстегивают белый бюстгальтер Ингеборг. Семейство Отмаров бежит к морю и наверное бросается в воду. Белый бюстгальтер Ингеборг падает на ковер. Никто не слышит ее недовольного ропота.

Еще год назад Хейнтье был как все мальчишки: как Хендрик Николас Теодор Симонс из Блейдерхейде в Голландии. Сегодня он самый маленький среди самых больших звезд немецкого шоу-бизнеса: Хейнтье так зовут звезду рост 143 см двенадцать полных лет. Когда однажды в пивной его отца играл музыкальный автомат и Хейнтье как обычно во все горло подпевал его услышал приятель музыкального продюсера Ади Клейнгельда который тут же понял что этот золотой голос принесет им золотые барыши. И тогда все стало развиваться очень быстро. Так быстро что Хейнтье и сегодня до конца не понял почему все вокруг него так внезапно переменилось. Ади Клейнгельд сделал из маленького певца топ-звезду шоу-бизнеса и начал выпускать пластинки с его песнями которые за короткий срок достигли миллионных тиражей.

Ингеборг начинает безудержно хихикать она прыскает она пытается зажимать себе рот ладошкой но смех рвется у нее изо рта Ингеборг начинает безудержно хохотать напрасно пытается она подавить смех зажимая себе рот руками.

Звонко смеется Ингеборг.

Да а где же была Ингеборг. Она раз и была такова. Она использовала удобную возможность чтобы улизнуть.

Пасхальный Заяц этот плакса дрожа наклоняется и поднимает белый бюстгальтер. На сияющем нейлоне отражаются блики светящихся реклам. Льдина на которой он стоит в шляпе с тросточкой и моноклем отрывается от берега и с легким звяком выплывает на середину реки лед такой же белый как бюстгальтер слева и справа реку обрамляют ивы а также другие платаны. Ингеборг в прощальной позе стоит на берегу ее груди сияют гораздо ярче молоденькой полной луны над головой. Снизу у нее надеты белые колготки которые больше обнажают чем скрывают. Well говорит Пасхальный Заяц героем меня назвать нельзя я надеюсь слишком жарко не будет.

Мать Хейнтье Йоханна знает секрет его успеха: когда Хейнтье поет он поет для меня говорит она. Конечно всякий мальчишка любит свою маму и у многих приятный голос. Но у Хейнтье есть то что обычно называют сердцем. И люди чувствуют это когда он поет для своей мамы. Между тем Хейнтье почти мультимиллионер. Но ни одного гульдена из своего состояния он истратить не может. Счет заморожен до того момента когда ему исполнится 18 лет.

Сегодня вечером Хейнтье трижды выходит на сцену в «Золотом выстреле»: с «Хайджи-бумбайджи» «Колокольчик динь-динь-динь» а в финальной части вместе с Удо Юргенсом которого он потеснил во всех хит-парадах как и Beatles. Пауза.

Неустанно пружинистым шагом меряет Пасхальный Заяц свой кабинет взад и вперед. Наконец он останавливается перед гигантским зеркалом вытягивается в струнку перед прозрачной хрустальной поверхностью и принимается себя разглядывать. Он видит высокого костлявого широкоплечего мужчину исполненного сдержанной элегантности. Мужчину у которого нет ни грамма лишнего жира который может гордиться своей мощной грудной клеткой и по-прежнему железными мускулами. Мужчину со здоровым цветом лица. Короче говоря мужчину который при неярком освещении выглядит как моложавый 45-летний человек.

Ингеборг вмерзает в лед от плеч до живота она закована в огромную льдину при электрическом освещении ее легкие дышат тяжело как паровые молоты. Ее смертное дыхание холодное как северная пурга влечет лайнер все дальше на юг. Но внутри Ингеборг все темно хотя все огни горят.

Куда же подевалось задорное превосходство Пасхального Зайца? Он склоняется к бюстгальтеру Ингеборг и прячет пылающее лицо в светлых волосах под мышками.

Черт побери а ведь его свежий голос звучит с хрипотцой. Может быть именно это волнует людей?

На Петера Александера который вместе с Хейнтье торчал перед камерой снимаясь в фильме «К черту эту школу» голос голландского вундеркинда произвел большое впечатление. Если его тенор успешно выдержит период ломки голоса то он станет вторым Беньямино Джильи говорит он со знанием дела. Ломка голоса заботит и голландского менеджера Хейнтье Ади Клейнгельда. Но самое плохое в том что множество тем для него закрыто. Он не может петь о ковбоях любви и легионерах. Пасхальный Заяц стоит салютуя на льдине его желтый банан похож на извилистую опухоль его раскачивает ветер.

Сердце Ингеборг во второй раз радостно подпрыгивает. На лице у нее довольное выражение. От навозной кучи сделанной Пасхальным Зайцем пахнет теплом. Если чего и недостает в его туристском снаряжении так это ружья его сердце подпрыгивает от блаженства. Пауза.

В то же мгновение Ингеборг набрасывает на Пасхального Зайца свои женские путы состоящие из волос цвета воронова крыла и больших невинных глаз из беззащитных плеч и совершенных форм тела и Пасхальный Заяц тут же запутывается в них.

Только теперь ему становится ясно что должно что-то произойти. Припасов даже при самом экономном расходовании хватит максимум на два дня. Его жирные ягодицы трясутся при каждом шаге и банан тоже трясется ого & го как.

Пасхальный Заяц берет в руки стальную пилу когда понимает что другого выхода нет. Он пилит как одержимый. Инструмент потрясающего качества. Пила вгрызается в лед как будто это дерево. Он не имеет ни малейшего понятия сколько времени у него еще остается на работу. Пасхальный Заяц пилит сук на котором сидит. Необъяснимое внутреннее беспокойство охватило его чувство подсказывающее ему что решение будет принято в течении 24 часов.

Ингеборг которая со скоростью света скользит где-то вдоль реки тоже очень отчетливо припоминает этого человека. Когда ее позже опрашивают она дает очень точные сведения. Словно Аргус оберегает Пасхальный Заяц свой деликатесный банан. Пауза.

В непривычной задумчивости Пасхальный Заяц снимает с плеч рюкзак тут же появляется с выпиленной льдиной в руках и отправляется в город. Ингеборг его путеводная звезда его добрый гений & ангел летит за ним. Пауза.

Он смолкает видит как там по ту сторону ледяной стены глаза девушки расширяются полный ожидания блеск пробегает по ее личику.

Но тут и она уже БЕЗЖИЗНЕННАЯ исчезает в бурлящих водах.

63. С УДОВОЛЬСТВИЕМ

С удовольствием прочитал я ваш красочный очерк о Х. Й. Куленкампфе и на сто процентов согласен с вами что в этой сфере Кули у нас действительно лучше всех. И только в одном пункте я не могу удержаться чтобы не высказать свое личное мнение. Вы пишете что господа Куленкампф и Йенте придерживаются мнения будто во всем мире нет никого кто в состоянии элегантно и красиво провести викторину. А где эти господа ищут подходящие кандидатуры? Скорей всего на викторинах для подрастающего поколения типа «Смена смене растет»? В таком случае им попадаются люди у которых нет никакого опыта в этой области а от них ожидают результатов уровня Куленкампфа. Почему эти господа не обратятся к кругу немецких конферансье?

Отто закрыл лицо руками. Слезы радости и потрясения застлали ему глаза когда он увидел все эти замечательные представления. Слезы радости и потрясения застлали ему глаза когда он увидел все эти замечательные танцульки-растанцульки.

И Отто которая девушка тоже казалось это предвидела. Нервное беспокойство охватило все ее тело. Она сцепила пальцы так что хрустнули суставы. Она и пяти секунд не могла пробыть в одной позе. Она сделала мостик стоя раздвинув колени а внимательные светлые глаза вопрошающе & изучающе смотрели на каждого посетителя.

Минуточку дорогу ему преградил полицейский.

Это был молодой парень. Отто знаком с этой породой свеженькие только что после школы полиции & ухватистые как терьеры. Он видел это по глазам прищуренным настороженным глазам.

Долго смотрят в глаза Отто те кто встает перед ним в струнку мрачнея от тяжкой судьбы жестко но с мягкой решимостью и в то же время моля о доверии.

Сияющие торжествующие девичьи глаза закрылись навсегда под невиданным натиском кованых сапог которые топчут всё подряд что подворачивается им на пути поврежден зрительный нерв да и все остальное висит на тонких ниточках опустошенное живое существо плавает в клоаке. Теперь ей оставалось только посмеяться над обоими полицейскими крепышами. Она быстро извлекала из всего уроки. Она быстро взрослела. Она не была больше ребенком уже нет.

64. КАСПЕРЛЬ СТОИТ МОЛЧА

Касперль стоит молча и держится за ручку двери. Значит и ты туда же говорит он наконец. Луси Наггет разлепляет губы чтобы что-то сказать но не может произнести ни звука. В ее зеленых глазах светится страх придавая обычно живому лицу каменное выражение.

Если бы он сам лучше прислушивался чем обычно то он не услышал бы ни смеха ни шуток когда Луси откидывала свои копытца. Скорее это были торопливые звуки удушения воистину печальная музыка. Теперь все снова выглядит чистенько и уютно. В спальне оклеенной новыми обоями стоит симпатичная расписная мебель которая здесь очень хорошо смотрится. Детская Луси сияет свежей побелкой. И если эту торопыжку эту сочную канарейку Луси уже не вернуть к жизни то зачем же тогда Пасхальный Заяц? Уж он-то позаботился бы о замене. А то что так капает замирает скапливается и такое сливочно-нежное сочится из ее лесистого холмика это малиновое мороженое лимонное мороженое. Своими а-а-а-а пальчиками Луси вычищает нутряную жидкость из своего нижнего отверстия. И вся развеселая компания наблюдает как Луси лакированным ноготочком ноги щекотит во рту у мистера Наггета со зловещей улыбочкой скривившей такие сладкие губки глаза которые ничего не хотят знать о молодости. Целыми днями полицейские в штатском неустанно трудятся чтобы снова привести в рабочее состояние ее выведенные из строя чудовищные потроха а Луси тем временем стонет лежа на спине и непрерывно потребляет свое сладенькое мороженое. Какое чмоканье маленького язычка какое сияние детских глаз Луси Наггет этой машины по перевариванию мороженого! Именно так приходится проводить то небольшое количество времени которое остается у Луси от ее домашних обязанностей но тем вкуснее оно.

Какой бы жизненный путь вы ни избрали без дорожного указателя легко заблудиться. Сегодня в определении путей развития нашего общества в политической и экономической сферах принимают участие силы знакомство с которыми по любым учебникам старого образца невозможно. Да-да теперь о моде теперь о Бернине. Быть всегда модно одетой это ведь наверняка мечта каждой женщины. Хотите ли вы узнать о Бернине больше если да то обратите свой взгляд на оконные занавески. Темноволосая головка выглядывает из-за угла. Там на улице все время туда & сюда проезжает одна и та же машина. Поторопитесь. Эти тихие проникновенные слова надо произносить торопливо взмахнув рукой.

Касперль этот новичок попросту шлепает Луси по спине резко бьет ее прямо по морде так что она сразу теряет сознание и тут же выдаивает из нее все фруктовые шарики и бруски мороженого. В совершенно оголенном помещении Луси Наггет сидит в белом свитере с воротником стойкой на зубоврачебном кресле между ног у нее цветастая сумка для высшей школы импонирующих особ. Произведя краткий осмотр после которого Касперль не мог отделаться от ощущения что за ним наблюдают он пошел от ворот на задний двор. Уже издали он услышал звуки блаженного боксирования шлепающие удары по грушам грудей Луси и по мошонке а также топот ног. Какой-то боксер полутяжелого веса в расстегнутой выцветшей рубашке стоял перед входом к Луси. В одной руке бутылка кока-колы в другой открывашка. Он жуя покосился на Касперля отступил в сторону и мирно рыгнул когда тот проходил мимо.

Теплый взгляд сопровождавший слова Касперля видимо рассеял все опасения Луси потому что она с радостным выражением лица села на стул. Эти парни бодро жужжали вокруг нее как насекомые. Луси Наггет не кричала она ждала. И это было страшнее всего. Девушка не сказала ни слова когда Каспи освободил ее от веревок. Она молча оделась. Побежала прочь. Прокричала от ворот ведущих в сад мы только хотели поиграть и улыбалась улыбалась впервые с этим дьявольским ухмыляющимся выражением скривив губы. Врач говорит может быть это действительно была только игра. Но придется еще понаблюдать повнимательнее. Нет пощады ни ей ни мне. Конечно вчера вечером было уже поздно Луси это верный признак того что всё опять так же мило как всегда с любовью сказал Касперль открывая и показывая ей их мясорубку. Тень пробегает по ее открытому лицу. Сегодня днем ты всё подробно расскажешь. А теперь беги дитя мое. Добрый Касперль помогает торопыжке избавиться от ее защитников. У Луси уже нет времени дожидаться успокаивающего ответа она уже тверда духом.

Им в нос ударяет запах пота. Дверь скрипя болтается на петлях. Никто не обращает на нее внимания.

Образовалось три ринга. На каждом ринге разминается пританцовывая пара боксеров. Луси растопыривает ноги и зажмуривает глаза. Касперль сидит замерев и думает поначалу что неправильно что-то понял но вот уже нежная рука у него на шее вот уже скользят ощупывая нежные пальцы он ощущает нежное движение у себя за спиной чувствует ее дыхание у себя на затылке и вдруг ее губы у себя на шее. Он поворачивает голову видит совсем близко лицо Луси смотрит в совсем близкие зеленые глаза в которых больше нет страха только одно ожидание тихая мольба нет больше страха перед Пасхальным Зайцем есть страх перед одиночеством.

Таким образом Луси Наггет это большой брикет фруктового мороженого каждому разрешается его полизать даже папе в Риме и Пасхальному Зайцу в поле и рабочему на фабрике & крестьянину в поле и президенту Соединенных Штатов Америки так что Бэтмен Робин и Супермен даже сам папа римский лижут Луси Наггет!

Да-да значит сегодня на ванили далеко не уедешь это звучит и вправду устрашающе серьезно. Но Касперль уже поднял эту маленькую нежную штучку и швырнул высоко в небо и от этого плач превращается в громкий хохот. Потом на высоте 500 метров над землей он ловит ее снова сначала голову потом правую руку левую руку левую ногу правую ступню плюх студенистое тело Луси шлепается в малиновый сок. Она говорит это была всего лишь шутка. Румянец постепенно возвращается заливая щеки потом лоб губы начинают дрожать. Касперль берет ее за запястья. Она падает прямо на него ее губы впиваются в его губы еще ни одна женщина никогда не целовала его так неистово так жадно так отчаянно. А до чего это вкусно. Кончиком розового языка Касперль слизывает все крошки ни пылинки не остается на тарелке. Сияющее словно хромированное влагалище Луси это длинная труба и уж что-что а смеяться здесь не над чем. То есть Касперль не находит для себя никакой забавы. Его пенис попав в Луси трубно ругается про себя на чем свет стоит.

А потом над большим-пребольшим автомобилем начинает бить фонтан содовой цепь из полицейских должна преграждать дорогу демонстрантам некоторые парни и девушки облизываются в предвкушении мороженого Люси. Скажем прямо. Перхоть неэстетична омерзительна. Человек с перхотью выглядит неопрятно. Итак возьмите перхоть за шиворот это очень просто очень приятно и очень очень основательно. Луси это грядущая суперженщина. На вкус она обещает больше вот и всё. Просто на вкус она обещает больше много БОЛЬШЕ! Под барабанный бой под музыку грянувшую после удара литавр Луси выбивает на сцене чечетку. Она грациозно парит по залу почти не касаясь земли. Как зачарованный смотрит на нее Касперль. Сначала она вихрем летит в неистовом фламенко потом показывает болеро и под конец кружится в вальсе. Ее гладкая белая кожа сияет в ослепительном свете когда музыка внезапно смолкает. Свет гаснет и тяжелыми волнами накатывают аплодисменты. Грандиозно. Действительно грандиозно говорит Касперль задыхаясь от восторга. By Jove ну и формы у этой женщины. Он закуривает еще одну сигарету. Под потолком вновь вспыхивает красноватый свет.

Кайф.

Луси приоткрывает свои розовые накрашенные губы чтобы закричать но из горла вырывается лишь хрип. Ее глаза неестественно расширяются и в них загорается огонь. Во рту Луси с бешеной скоростью исчезают продукты питания. В голове у Луси тикает невидимый будильник который говорит ей что хорошо и что плохо. Луси смущенно принимает поздравления. Никого из этих мужчин она до того не видела. Луси это человек которому с рождения даны богатство влияние и власть. Огромный неуклюжий революционер смотрит на нее с озабоченным выражением на широком крестьянском лице. Касперль же наоборот опустившийся субъект недостойный человеческих условий жизни.

В глазах Луси застыла смерть. Касперль точно это видит.

Кайф.

Касперль решительно хватает Луси за волосы а другой рукой за ноги и сворачивает её в живую петлю состоящую из силы гибкости и обращенной в плоть музыки. Луси верещит от боли. Но то что лезет наружу из этой толкальщицы тележки из этой чемпионки по пышности грудей в первую очередь принадлежит детям беднякам старикам и больным. Плюх. С мордочки Луси Наггет срывается гигантский кус мороженого прямо в святая святых. Папа римский с ужасом замечает это. Все что от нее остается это слизистая оболочка обыденного и всё.

Исполняя народную песню которую он всосал еще с молоком матери знал от Фрэнка Заппы Касперль вышел на веранду. От чего же у него на глазах выступили слезы от прекрасной песни или от сложных оргазмов Люци?

Со своей прежней жизнью я покончил говорит он.

Удары палкой по заднице могут вызвать преждевременные эротические ощущения. Дети которых в качестве наказания били палкой по заднице позже часто сталкиваются с сексуальными затруднениями. Многие из них даже становятся извращенцами. С чмокающим звуком который Касперль не забудет никогда в жизни Луси вываливается из себя самой и мягко шлепается на ковер. Беспомощная в когтях снежного человека. Я возмущена вашими фотографиями с изображением жареных обезьян. Разве была необходимость в таких фотографиях? Лина Фройцхайм (Манхайм).

65. БЭТМЕН РОБИН СУПЕРМЕН СТАРТУЮТ

Бэтмен Робин Супермен стартуют мчатся вперед и летят кувырком с дикими криками так что в этом живом клубке из голов тел и неразберихи рук и ног никого из них уже нельзя различить. Бэтмен засовывает Робину в широко разинутую пасть свой колокольчик и жмет сколько сил хватает лицо Робина синеет. А что сам Супермен? Он тоже в долгу не остался. Он изо всех сил вцепляется в его поразительно маленькие яйца и вытягивает весь его туда & сюда мотающийся хобот в длину а потом топчет его ногами. Робин самый слабый во всем этом тройственном листке клевера вынужден выдумывать еще более дерзкие шутки. Но сейчас достаточно засунуть в задние складки Бэтмену и Супермену побольше гигантских термитов пока оба от боли не позабудут друг о друге и пока оба не начнут вылизывать друг другу эти задние складки с дерьмом и не примутся прикладывать к ним холод. В наказание Супермену пришлось стоять на коленях на шее у Робина а Бэтмен своими белоснежными зубами просто-напросто откусил крохотную стружечку которая лежала перед ним совершенно беззащитная. Робин взревел как бык поминая своих почивших родителей. Там где раньше находилось его украшение зияла теперь глубокая окровавленная дыра над которой и после продолжают грубо измываться пока из Робина не вытекает красный сок жизни. Вжик! Поддерживая с двух сторон труп своего товарища гиганты поднимаются ввысь к летчикам-испытателям ракетам супербомбам поднимаются навострив лыжи вверх к орлам. Бэтмен Робин Супермен стартуют мчатся вперед и вскоре исчезают за густой пеленой облаков.

Берлин Кохштрасе 50: громада высотного дома вздымается посреди пустыря на котором кое-где видны лишь отдельные руины и полуразвалившиеся домишки. Этот гигант из стекла и стали чудо архитектуры является не только новым символом возведенным непосредственно у разграничительной стены но более того это признание раздела немецкого города со стороны этого человека. Этот человек достиг задуманной цели.

Бэтмен уже уложил своего спящего птенчика в постель. Робину пора в постельку без разговоров у него уже глаза слипаются. День был долгий и напряженный но зато какой замечательный. Вот так и случилось что Бэтмен с Робином остались наедине в одной детской кроватке. С какой любовью с каким материнским чувством Бэтмен умеет трахать. И как ему должно быть важно насолить этому субтильному Робину и причинить ему боль! Супермен невольно смеется себе под нос. Вот уж тут он его не в пример лучше знает!

В другой раз именно Супермен провоцирует друзей на новую каверзу. С добродушной ухмылкой он заставляет Бэтмена воспользоваться своим собственным органом поиска вооруженным когтями и повиснуть на нем а Робин тем временем должен был вцепиться Бэтмену в его конец и удерживаться на нем. Этот живой монстр с невероятной скоростью помчался через пространство и время. Одним-единственным пальцем он приводил в оторопь все что встречалось ему на пути. Супермен иногда потешается над Робином с Бэтменом он бы никогда не позволил себе так разговаривать думает малютка кусая губы чтобы сдержать слезы.

Мне кажется вся суть в чем-то другом. Она в самом Акселе Шпрингере который избегает публичности и никогда ничего о себе не мнил. Что он человек добившийся успеха знают все. Ни для одного человека успех не проходит бесследно. От успеха люди становятся лучше или хуже. Приятнее всех те кто от успеха становится лучше. Серьезность успешность и значительность Акселя Шпрингера украшены вдобавок его истинным шармом.

Робин закрывает глаза ожидает когда можно выскочить на улицу. Но Бэтмен реагирует быстрее. Он вталкивает Робина обратно в бешено мчащийся автомобиль. Он хватает его грубо и бесцеремонно. Чертов пупсик хрипит он искаженным от гнева голосом. Он выбрасывает вперед руку и закрывает дверь машины на замок. Потом дважды бьет малыша по лицу и в живот. Не смей больше этого делать цедит он. Робин не плачет. Он сидит выпрямившись смотрит невидящими глазами прямо перед собой лицо у него белое как мел. Но внутри у него все кипит. Некоторые внутренние органы повреждены другие только ушиблены. Но этого достаточно чтобы мальчишка стиснул зубы. Супермен между тем самообладания не теряет. Он знает то что он делает уголовно наказуемо. Концерн-гигант это сила. Шпрингер монополист об этом все говорят и все пишут. Все что делает Шпрингер его критики публично обсуждают и в основном критикуют. Три орла одновременно камнем падают с небес и сопровождают межконтинентальную ракету берут ее полностью под свое могущественное крыло. Его нервозность и беспокойство передались Робину и отразились на всем его теле. Его руки так прижали птенчика что у того все косточки захрустели. Он и пяти секунд не может усидеть в одной позе. Он упирается ногами в спинку сиденья когда сильные мускулистые челюсти Бэтмена смыкаются и начинают сосать. Мы ведь скоро прибудем на место? Это единственная фраза которую он произносит. Ответ Бэтмена нельзя назвать кратким. Он глаз не сводит со своего запачканного указательного пальца который он вращает в заднем проходе Робина подобно циркулярной пиле. Молодой парень который не решается и рта раскрыть забавляет Бэтмена.

Размахивая руками Супермен в шутку приближается к Бэтмену. Тот подпускает его поближе.

Оглядываясь назад А. Ш. (всем сотрудникам концерна позволяется называть его этими начальными буквами) до сих пор с удовольствием вспоминает о том что своими репортажами он довольно часто опережал своих высокооплачиваемых коллег из Гамбурга да и осведомлен был лучше. Шпрингер со страстью ведет репортажи и пишет заметки. Он умеет угадывать интересы людей. Для него не существует ни ночей ни воскресений если того требует профессия. Бэтмен выполняет ложный удар срывает с Супермена прикрытие и вдруг оказывается в кишечнике Робина который бросился между ними. Точно так как его раньше учили. Его вес ему Бэтмену сейчас нужен. Ведь Робин всего лишь в полутяжелом весе. Кулаки Бэтмена весят на пару килограммов больше. То чего Робин достигает за счет техники Бэтмену возмещает его сила. Рука у него вся в крови не успел он ее отдернуть.

После этого друзья идут в ванную чтобы прихорошиться и причесаться после всех трудностей дня. Бэтмен заботливо затягивает Робину шнуровку на смирительных штанах разглаживает густые волосы оберегая его чувствительный организм собственными руками. Супермен упражняется в подъеме тяжестей один только его Хельмут справляется с супертяжестями как никто другой. Бэтмен сидит погруженный в свои мысли наблюдая как Робин хнычет занятый своими пока детскими играми. Так быстро от него не отделаешься.

Только Ханземан понимал его целиком и полностью потому что с другой стороны он хорошо знал: этот Шпрингер выйдет победителем в гонках! О тех гонках которые суждено было выдержать его ученику не подозревал даже он.

Робин скатывается с сиденья вытаскивает свою здоровую ногу из машины стонет когда подтягивает следом больную ногу. Его дыхание прерывисто. Стекла очков тускло поблескивают из-за пота который их затуманил. Бэтмен хватает его за талию шатаясь от тяжести переносит его в спортивный зал закрывает дверь. Он озабоченно ощупывает больные места но вскоре забывает почему он здесь и снова идет в АТАКУ! Он трет член Робина о свою черную рубашку. На следующее утро Робин просыпается с больной головой. Определенно переел сладкого.

66. ОСТАВИМ ЖЕ ТЕПЕРЬ

Оставим же теперь наших друзей Отто и Мануэля Марию Ингеборг чудо-девочку Тули Купферберга и многих других кто столь долго верно сопровождал нас. В гостях хорошо а дома лучше! Оставим Марию вместе с ее О. которого она по-прежнему прижимает к своему воздушному оперению и бежит вместе с ним через дюны вдоль берега реки через страну смертоносной ивы. Одевание происходит автоматически как и раздевание.

Когда судье впервые пришлось вынести приговор Брайану Джонсу за преступление связанное с наркотиками он сказал ему я не хотел бы вас здесь больше видеть. Будьте осторожны. Судья вновь увидит Брайана Джонса лишь много позже. Но в каком виде.

Кругом царит всеобщая безысходная печаль по поводу этой молодежи. Давайте еще раз посмотрим на наших друзей которые стоят здесь на обочине единственного великого поля битвы и считают ворон. Вместо того чтобы заниматься осмысленным созиданием.

Итак откройте-ка хоть на минутку глаза и посмотрите на все это тогда вы не будете повторять эти слова. Сквозь слезы смотрит Пасхальный Заяц на Освальда и Хельмута отважных лыжников и боевых пилотов которые опять не взяли его с собой и вообще в воздухе не видно ни одной птички пусто.

Личико Ринго все перемазано но парнишка все равно продолжает лизать малиновое мороженое которое наглая рука уже давно вырвала у него изо рта. Да и вместо пальчиков у него теперь только культышки да косточки. По нему видно что он никак не может взять это в толк. Словно это ему не по силам.

Дверь открывается молодой красивый (красивый) человек стоит в дверях. Он любезно кланяется увидев Луси Наггет молодую даму. И лишь подняв глаза он замечает круглую дырку у нее во лбу. Что угодно милой барышне? Могу ли я поговорить с шефом? Я и есть шеф дорогая мисс. Разрешите мне войти. Луси безвольно следует за начальником.

Им казалось что тишина длится уже много часов. Потом они слышат как к дверям приближаются быстрые шаги. Больше всего на свете им хотелось сейчас сбежать но было уже поздно.

Внезапно все они ощущают руку Белого Гиганта у себя на плечах. Внезапно все они чувствуют твердую руку Белого Гиганта у себя на плечах. И вот они стоят как стояли & должны голодными глазами наблюдать! За сражением.

67. НО ЧТО СТАЛОСЬ С БЕЛЫМ ГИГАНТОМ

Но что сталось с Белым Гигантом! Все его нагое тело было оплетено содрогающимися растениями-рогатками. И лишь лицо проглядывало сквозь змеящийся клубок. Губы у него посинели тело покрылось красными пятнами. Но глаза смотрели ясно и непоколебимо.

Микки чувствовал как в нем разгорается необузданный гнев. Применив свои телекинетические способности он на расстоянии сорвал растения-рогатки с тела Белого Гиганта и прожег их пучком пламени из своего лучевого пистолета. После этого он хотел было оттащить Гиганта из зоны непосредственной опасности в центр купола.

Но тут раздался пронзительный боевой клич Ринго. Мышонок отпрянул. Повсюду в стенах храма растений открылись щели. Обвешанные контактными водорослями стрелки сначала излили жидкость прямо внутрь а потом начали палить из своих лазерных пистолетов.

Но Микки не сдается он подставляет Белому Гиганту под крестец свое слабое мышиное плечо и изо всех силенок толкает его вперед потом на помощь приходит и Минни командует раз два взяли другие друзья действуют тоже согласно своей воле и своим убеждениям и вот им удается протащить Белого Гиганта у которого уже из ран хлещет кровь через пашню на картофельное поле Эммануэля под воюющими снарядами и свистящими рикошетами в самом конце войны. Такое надо пережить самому. Вы этого сами не пережили поэтому и не можете участвовать в разговоре говорит великан когда вновь приходит в себя. Издали машут боевые товарищи полностью закутанные в защитные одежды. В таком виде все на одно лицо.

Белый Гигант прислушивается и ему кажется что рядом кто-то дышит. Чтобы обмануть невидимого врага он поворачивает голову в сторону и зажимает себе рукавом рот. А потом постанывает и как будто захлебывается. С пистолетом в одной руке и фонарем в другой он ждет очередной атаки. И атака начинается. Тихий щелчок сбоку показывает что ему не удалось точно определить местонахождение противника.

Весь день до ночи белый великан валялся в дерьме блевотине и подвергал себя смертельной опасности. Теперь он лежит на своем ложе и у него нет сил чтобы повернуться на другой бок он то здесь то уплывает в мыслях куда-то он смотрит на какой-то засохший цветок. В эти минуты вся жизнь мысленно проходит перед ним. Собственно говоря эта жизнь всем обязана ему. Он поворачивает голову. Прохожих сейчас уже совсем немного. Двое мужчин которые приближаются к нему делают испуганные лица и тут же разворачиваются. Дорожка внезапно полностью опустела. Несмотря на все попытки Микки никак не может верно направить лезвия своих коньков. Он беспомощно скользит & падает а силуэты его смертельных врагов все ближе. Кто-то выпилил зубцы на лезвиях его коньков. Они утопают в вязкой глине. На фоне зеленоватых сумерек внезапно вспыхнул островок бело-голубого света. Белый Гигант резко замедляет шаг. Он сразу понимает что этот бело-голубой свет враждебен ему. Если он попадет в его орбиту то он пропал. Но тут он упрямо сжал губы так что они превратились в тонкие белые линии и пошел прямо на светящийся островок. Поначалу казалось что сияние невесомо парит в воздухе.

Но чем выше поднимался Гигант тем яснее он видел что свет выбивается из ворот у подножия необозримо высокой скальной стены. Он шумно дышал. От сияния исходило какое-то парализующее воздействие. Трепет пробежал по телу Гиганта. По мере приближения к светящимся воротам ему становилось все хуже. И вот он остановился в шаге от них.

К нему приближается Микки. Он был немножко меньше по размеру но богатырского сложения. Слева на подбородке у него было маленькое родимое пятнышко. Его темно-карие глаза имели какое-то слегка застывшее выражение. И вот он выпрыгивает вперед как голодная крыса. Он сощуривает глаза так что они превращаются в узкие щелочки. Но в них пламенеет мрачный огонь.

Вот так и стоит он в одной набедренной повязке кожа его отливает желтоватой бронзой стоит под этим необъятным бессмысленным небом с которого падает на ели беззвучный снег. Из разнообразных труб поднимается разнообразный дым. Ветви сгибаются под холодным белым грузом мужчины с факелами в руках идут через лес на празднование св. Рождества Христова сияние на их лицах все ярче один кладет другому руку на плечо.

Трое байдарочников плыли горизонтально над землей. Их головы были совсем близко от лица Микки. Мышонок мог читать мимику их лиц как открытую книгу. Он видел как дурнота от принудительного полета на их лицах уступает место недоверчивому удивлению. В нескольких шагах от своих предполагаемых смертельных врагов байдарочники казалось натолкнулись на невидимую стену. Они закричали от ужаса но не отступили. С отчаянной смелостью бросились они на телекинетическую преграду. Когда у них ничего не получилось они как по команде развернулись и решили прибегнуть к своему оружию. Микки невольно зарычал. Байдарочники неожиданно стрелой взмыли вверх. На высоте метров сто они начали вертеться волчком. И в то мгновение когда они уже начинали терять ориентацию и им стало плохо до тошноты они камнем упали вниз. Как сквозь волны тумана они увидели прямо по курсу остроносое мышиное лицо. Белый Гигант протягивает руку. Рывком он выдергивает Микки из его кресла. Отпустите меня протестует коротышка. И в этот момент на него обрушивается кулак Гиганта. Микки перелетает через всю комнату и ударяется об стену. Нежные творожные кексы сыплются на обоих как теплый летний дождик. Хельмут повис на ветках как ясная луна его щуп нежно и неощутимо проникает через все складочки и швы праздничного наряда Микки. По радио звучит музыка а тошнотворный Белый Гигант сидит в ванне по-прежнему сжимая засохший цветок в чувствительной руке.

С неведомой ему прежде ясностью Гигант понимал что этот камень не смертоносен смерть он приносил только недостойному. А достойному он приносил невероятную власть. И тут всплыл красноватый огонек. Он заскользил к нему и не стал ускользать когда Гигант поднял камень. Он продолжал сиять мягким светом. Потом он затеял странный танец. Он плыл впереди него возвращался назад поджидая пока тот его нагонит и вновь двигался вперед. И тут огонек стал приобретать формы он стал похож на заостренное лицо и два круглых глаза умоляюще уставились на него.

Для Белого Гиганта не существует ничего важного кроме его рук и легких. Ночь застилает ему глаза.

Хлопья продолжают падать на горы & долины Хельмута. В его опасную сияющую ловушку. ПОМОГ ЛИ ЕМУ КТО-НИБУДЬ?

68. НЕУЖЕЛИ НЕЛЬЗЯ

Неужели нельзя обойтись без этих ударов от которых болят мои яйца все оболочки моей головы? Неужели действительно не обойтись без этих мучительных болей от которых я коченею превращаясь в лед? Неужели не обойтись без этих невероятных видений которые изнуряют меня до самого утра?
  Фрэнк Заппа Кастроп Рауксель

Let there be more light! требует кто-то из толпы. Однако все что говорит на это Брайан Джонс: ВЫРУБИТЕ ВЫ НАКОНЕЦ СВЕТ!

70. ИМЕНА ТЕХ КТО МОЛЧА ПРИСУТСТВОВАЛ НА ЗАСЕДАНИИ

Имена тех кто молча присутствовал на заседании не собираясь выступать: Филип Уолен Джон Винерс Лоуренс Ферлингетти.

Ринго продолжает пить но не пьянеет. Он отставляет бутылку в сторону поворачивается к Полу его рука скользит по мягкой оголенной коже его плеча. Он ощущает под своими пальцами теплую жизнь.

Be kind to the names of heroes lost in the newspapers! Вы не обидитесь на меня Пол Маккартни если я скажу вам что у вас очень красивое тело. Я довольно часто восхищался им когда мы плавали вместе. Пол поспешно сбрасывает одежду и становится перед зеркалом. Вскрикнув он отворачивается. Он быстро одевается опять. И долго еще сидит неподвижно.

Губонос явно только что перекусил потому что его нижняя губа была сильно оттопырена. Подобно гигантскому листу лежал он на поверхности болота. Либо это животное в определенной мере обладало разумом либо он инстинктивно чувствовал уязвимые места. Отто ощутил как машина содрогнулась от резкого удара. Отто и Отто ложатся друг на друга Отто держит во рту орган обольщения своей Отто и пылко поглаживает его своим пристрелочным орудием и орошает его Отто крепко прижимается ртом к его рту чтобы не наткнуться на дыру вместо отсутствующих зубов и избежать дурного запаха изо рта Отто. Отто занимается любовью с Отто отвернув лицо. I am king of may который спит с молодежью пока жирный молодой полицейский не встанет между нашими телами.

Но мысль предстать обнаженным перед мужчиной ужасает Пола. Вот так он когда-нибудь и будет висеть всем людям напоказ. Разрешите взглянуть на ваше тело? Художнику становится немного не по себе. Он коротко произносит: пожалуйста разденьтесь вон там за занавеской. Пол Маккартни механически снимает одну вещь за другой. Он сам не очень понимает что делает. Сердце у него колотится так сильно что его немного шатает когда он выходит из-за ширмы. Он стоит неподвижно опустив глаза. Луси Наггет звонко смеется и бросает об стену свой бокал с кока-колой. Осколки с серебряным звоном летят на ковер. Тело Луси раскачивается в ритме старинного танца. Ее губы манят к вожделению и исполнению одновременно. Мордочка Луси скорее глубокая чем широкая источает ванильное мороженое. Нацист только сплевывает. Он вытирает потные ладони о штаны. Он ждет приказа.

Его лицо то краснеет то бледнеет и он не знает куда девать глаза. Но потом он замечает головку губоноса которая высовывается из трясины всего в нескольких метрах от плота. Маленькие глазки животного неподвижно смотрят на пришельцев. С трудом сдерживает он возглас восхищения когда видит перед собой Пола Маккартни. Перед ним чудо природы глаза художника замечают это с первого взгляда.

Художник Хельмут вскакивает молча делает несколько шагов обходя прекрасную фигуру со всех сторон а потом смотрит юноше в лицо. Он видит как пульсирует кровь замечает смену красного и белого видит как краска заливает его шею потом лицо и откатывается назад дойдя до затылка. Я майский король который спит с молодежью пока жирный молодой полицейский не встанет между нашими телами. Оба краснеют еще больше чем раньше. Они смотрят на блестящую кожу которая отделила их суставы и сухожилия удерживая их на влажной мостовой: казалось полицейский сапог вздымается до неба а может еще выше. А там вверху из сапога торчит прямая нога нога гимнаста. Полицейского интересуют только его испачканные в крови сапоги. Ах мама будет ругаться! Ни следа приветливости в его посуровевшем лице когда он смотрит на этих крикунов страдающих от боли. Они возбуждают в нем только невинное удивление городского ребенка.

Чего вам стесняться Пол? Вы ошибаетесь. Если человек так красив как вы нужно радоваться своему телу такой человек не имеет права думать ни о чем мерзком только о служении искусству когда вы дарите ему свое тело. Должен сказать вам: ваша красота меня восхищает. У меня в голове уже созрел художественный образ. Вы дорогой Пол Маккартни без рук и ног даже без головы. Как единая великая просьба & мольба!

Хельмут этот нацист и полицейский хихикает и дает молодой упругой силе хорошего пинка. Отто поднимает голову. Его фейс искажен болью. Ему требуется несколько минут чтобы снова встать на ноги. Ему приходится опереться на ствол дерева. Там поджидает Луси с солидным запасом апельсинового сока готовая подкрепить молодых спортсменов. Стакан молока который Отто уже держит в руках он от потрясения опрокидывает. А он очень злой этот молодой полицейский? Он ведь только в шутку грозит. Он напрасно ищет в этом взгляде признаки страха. Офицер резко отталкивает Отто от себя. Тот покачнувшись падает на землю. Потом снова

288

встает тщательно отряхивает одежду и стоит в ожидании. Я майский король который спит с молодежью пока жирный молодой полицейский не встанет между нашими телами.

Это было тогда когда Джон Кеннеди подобно быку вздыбился навстречу смертоносной пуле. Когда его широкий бычий затылок поймал горячий металл и когда он замер в воздухе. Когда его подбросило вверх и он потерял всякую ориентацию. Когда он схватился за что-то при любых обстоятельствах ему необходимо было за что-то ухватиться если он хотел выстоять в этом бою. В течение нескольких секунд Кеннеди шатается как бык сраженный пулей а потом занимает свое место освещенный этим электрическим светом. Приложите ухо к плоти и вы услышите то самое тиканье рельсов которые уносят нас прочь. Повсюду выброшенные на берег киты!

Вокруг растения образуется облачко атомарного водорода. Тут же становится холоднее. Удары электрошока внезапно прекращаются. Растение падает на землю перекатывается через колченогую изгородь и вновь устремляется в джунгли. Вытаращив глаза смотрит Отто туда в этот зеленый ад. Он чувствует что все гораздо сложнее чем показалось на первый взгляд. Там снаружи подстерегает не только смертельная опасность но и ужас как таковой. Сердце Пола Маккартни стучало не меньше чем тогда когда он впервые разделся.

Луна Отто освещает все вокруг рот Отто освещает жалкие уловки молодого жирного полицейского он снимает с него всю тяжесть. Повсюду выброшенные на берег киты! Рот Отто освещает резкие удары плетки которые достаются ему от полицейского он слегка подпрыгивает под этим беспощадным светом. Отто выползает наружу из-под обломков Отто.

С переломанными костями и болезненными ожогами но он выжил. Но ради чего он выжил? Вспышка взрыва на секунду освещает крыши. А он все вновь и вновь с тоской посматривает в небо.

Ведь кто-то же должен любить сидя на коньке крыши под СОЛНЦЕМ. Ведь кто-то же должен любить сидя на коньке крыши под солнцем. Огромный бычий затылок Кеннеди несет на себе Отто этого гимнаста-неваляшку он с трудом взбирается по гребню горы. И все же незначительные трудности еще приходится одолевать. Куда бы вы ни пришли: Отто уже тут как тут!

71. СВЕРХДЛИННЫЕ НОГИ ОТТО

Speed

Сверхдлинные ноги Отто похоже обрели самостоятельность от верха до пят их уже не обозреть. Хорошенькие перспективы ворчит Отто и уползает опираясь на руки и свой конец. Мария с беспокойством наблюдала как тяжелое тело мужчины уже дважды почти срывается со склона. Казалось у его тела уже не осталось запаса сил. Когда Отто пытается осмотреть свои сверхдлинные и до сих пор еще растущие ноги он заглядывает прямо в освещенный туннель который ведет в бездонную глубину. Speed.

Мария может вспомнить ночи которые были слаще клевера. Она чувствует как ее О. растет и пульсирует у нее в руках. Она вдыхает жизнь в его зад согревает прелестника своими губами. В ее власти золотое солнце & серебряная луна так что она довольна и ей ничего больше не надо в этой гонке со временем.

Знаете ли вы почему Мария так довольна потому что в ее власти золотое солнце & серебряная луна.

Мамочка боже мой мамочка. Отто в отчаянии скребет ногтями землю. Веки у него горят. Он пытается хотя бы медленно повернуться набок. И со стоном откатывается обратно. Его бесконечно длинные ноги к тому же распухли и стали ломкими. Отто плачет ему страшно ужасно страшно. Мария целиком впускает его в себя в свою нижнюю пещеру. Navaneoz niseno! выдавливает он из себя. Этого только не хватало! стонет Мария. Теперь он начал говорить с нами по-индейски. Ее цель становится яснее. Перемычка между большим островом и этой сельской местностью была хорошо видна. Гигантские айсберги доплывали до самых южных регионов. Далекие

Альпы приветствуют нас вершинами гор в красном и белом сиянии и широкими ледниковыми полями. Там наверху выжить наверное очень сложно.

Мария солнце заходит. Отто вцепляется в солнце по имени Мария в отчаянии умоляет останься Мария не ходи через этот мостик между Южной Америкой и Атлантидой. Но Мария вырывается и как огненный шар погружается в море. Зрелище одновременно потрясающее и захватывающее. Теперь Отто совсем один & предоставлен самому себе среди этих гигантских глыб льда. Он хочет домой & отправляется домой как есть. Все это еще можно вытерпеть тихо говорит он самому себе. С трудом вытягивает он свою левую руку в поисках руки Белого Гиганта. Друг не отвечает он мертв. Но от того что вы сейчас узнаете у вас пропадет дар речи. Отто наш младшенький ревет как дитя. Потому что перед ним длинная страшная ночь.

72. С ГЛАЗ КАСПЕРЛЯ СЛОВНО ПЕЛЕНА СПАЛА

С глаз Касперля словно пелена спала. Повсюду видит он современные большие города по которым уже прошлись надвигающиеся волны ледников. Там внизу наверняка царит хаос. Он может представить себе что будет когда на высокотехнологичном континенте за несколько десятилетий внезапно наступит ледниковый период.

Друзья забираются в подводные лодки на деревья в высотные дома на шпили церквей в самолеты и ракеты но ничто не помогает нигде им нет спасения. Десять сердец выскакивают из груди от внезапного испуга. Ни один из этих запуганных кроликов не видит с каким задором Белый Гигант поглядывает поверх очков. На нем сегодня мундир главного адмирала со всеми орденами. Родан Касом ведущие ученые стоят возле него в центре управления. Он объясняет им все что надо.

Какая-то тень затмевает солнце когда парни поднимают глаза они видят как к ним приближается неотвратимое. Сегодня они не могут пойти на работу им остается только дрожать от страха и наблюдать как все обращается в прах. Хитрецы закрывают глаза и затыкают уши прячут головы под крыло съеживаются они слепы & глухи ко всему что их окружает они пытаются спрятать свои пушистые головы как можно глубже. Белый Гигант хохочет до слез. К нему присоединяются и другие. Ну-ну Гигант покраснел от возбуждения он разглядывает каждого по очереди. Но его испытующему взору предстают лишь безмятежные лица. Не находя опоры Белый Гигант зашатался и тут началось его безудержное падение. Теперь и его глаза потускнев смотрят вверх. Ревет мотор его тело взмывает ввысь и переворачивается.

Стопудовая передняя ось отрывается и описав широкую дугу косит тесные ряды настырных зрителей. В тот же миг из своего кожуха вырывается сам мотор и свистя как граната с невероятной силой обрушивается на ту же толпу. На глазах у ротозеев которые до сих пор не могут понять в чем дело Белый Гигант распадается на составные части и некоторые из них берет с собой в то далекое путешествие из которого нет возврата. Отто держит Марию точно так же как вначале но что-то неладно с ними обоими. У Отто больше нет туловища а Мария беременна одной шрапнелью. Мануэль уже второй раз кричит через дверь: Ингеборг давно пора ведь ты опоздаешь дитя мое. Одним прыжком Инге выскакивает из постели да-да почему ей вздумалось вот так разлеживать и мечтать черт знает о чем размышлять на разные глупые темы которые того не стоят позабыв о своем долге? Но когда она как обычно пытается прибрать свою комнату оказывается что это невозможно. Там где еще несколько минут назад была Ингеборг зияет огромная дыра.

И те кто висит на высоте 400 метров над землей вцепившись в веревку зубами тоже не избежали смертельного падения. Только Бэтмена на мякине не проведешь. При этом им еще приходится делать хорошую мину при плохой игре чтобы их не подняли на смех. Человек-обезьяна и Человек-летучая-мышь навязывают друг другу на глаза колбаски добытые из прямой кишки залепляют уши собственной слизью вгрызаются и почти забираются один в другого обнимают друг друга крепко ох как крепко. Так словно больше не собираются разъединяться.

В каждом брикете мороженого в каждом пакете с соком в каждой мордашке за 50 в каждом пенисе за 60 в церквах школах и больницах в этот момент взрывается бомба начинается цепная реакция. Бэтмен теребит Робина за ухо: Робин бери с них пример и мотай на ус видишь какое старание какой исключительный порядок & какая чистота и выдержка. Ты-то так можешь? Нет честно отвечает Робин. Удовлетворенный Бэтмен ласкает нюхалку Робина и обе зацелованные щечки. А что еще делать друзьям?

В КАЖДОМ БРИКЕТЕ МОРОЖЕНОГО В КАЖДОМ ПАКЕТЕ С СОКОМ В КАЖДОМ МАСТУРБИРУЮЩЕМ ПРЕЗИДЕНТЕ в этот момент взрывается БОМБА!

Богатырский поцелуй подкрепляет богатырскую радость кончик Робина подскакивает вместе с ним. Бэтмен заставляет его танцевать в своих руках моет его а потом наполняет. Санки Хельмута переворачиваются самого Хельмута живым и невредимым отбрасывает в гущу елей где вскоре из сугроба поднимается хохочущий снеговик весь белый с ног до головы. Эммануэль не перестает испражняться он лежит под душем в общежитии для учеников и доставляет каждому маленькую радость.

В каждой старой вонючей газете в каждых выстиранных кальсонах в этот момент взрывается бомба.

И по-прежнему в кругу друзей очень не хватает круглого лица Турока с коричневой косичкой вокруг головы. А вот и он. Немного запыхался немного смущен и самую капельку заплакан. В ответ на все вопросы он качает головой. Отмар намазывает ему лыжи воском предварительно очистив скользящую поверхность. Его зубы сияют белизной на загорелом мальчишеском лице. Его задница выделяется темной громадой на фоне унесенных ветром блочных хибар. В каждом барном табурете в каждом военном в каждой винтовке в этот и только в этот момент взрывается бомба.

И будоражит черную воду. И будоражит всё. И сравнивает всё с землей.

Куда же подевался Пасхальный Заяц кофе стынет ах давайте-ка начнем спокойно без него. Жаждущие ясные глаза обегают взглядом стол для гостей с вкусной выпечкой. Звонок это он! Если на столе лакомства Пасхальный Заяц постарается не опоздать весело гудит толпа. Микки и Минни катаются в невиданном акте зачатия вдоль раненого горизонта этого тяжелого дня. Папа римский благословляет этот союз. Микки вынуждает Минни открыться. Хельмут энергичным жестом откидывает свои растрепанные волосы с высокого лба. Супермен не придумал на данный момент лучшего применения своим силам кроме как тискать своего пилота.

В каждой бабушке которая обнимает своего внучонка в каждом отце который пилит свою дочь в каждом хорошем деле сейчас и только сейчас взрывается бомба (бомба).

За его спиной испуганно стоит Кинг-Конг поднимая грязные руки в небо. Он поворачивается и умоляющим взглядом смотрит на своего противника. Пожалуйста! произносят его губы но голоса издалека не слышно. Кривым указательным пальцем Бэтмен нажимает на спусковой крючок. Залп освещает сумерки джунглей. Он отбрасывает Кинг-Конга назад и швыряет его в грязь. Его тело в последний раз изгибается а потом расслабляется окончательно. Стройная борзая напруживается. С каждым толчком ее лап боль словно ножом пронзает плечо. Горько плача Гуфи скрывается под снежной лавиной. Хельмут хихикая потирает руки радуясь удачной каверзе. Загар делает его еще более привлекательным чем обычно.

В каждом выходном платье которое торопится за город в каждой походной сумке в каждом рюкзаке & так далее в этот момент взрывается бомба. Бэтмен трахает Робина который только что отпраздновал свой 12-й день рождения. Он гораздо младше Бэтмена и когда он говорит слюна раскачивается у него на подбородке и его кудряшки тоже. Он главный любимчик Бэтмена. И на этот раз Бэтмен о нем позаботился. Он дает ему урок танцев. Робин с трудом разучивает движения таща умудренного опытом Бэтмена за собой. Лакомка Отмар очень рад этому прыгающему & танцующему подарку. Живому подарку. У него зоркий глаз сокола.

В каждый добрый час в любом тесном дружеском кругу в каждом детском смехе & вообще повсюду именно сейчас взрывается бомба. Громкий смех мешает Тули Купфербергу говорить. Да-да давайте лучше поиграем в викторину предлагает чудо-девочка.

БОМБА ВЗРЫВАЕТСЯ! БОМБА ВЗРЫВАЕТСЯ!

Бэтмен специально привез маленького Робина потому что мальчик обязательно хотел посмотреть на настоящую бомбу. А тут такое! Наконец он берет себя в руки снимает мальчика с плеч и собирается вместе с ним покинуть это чудовищное место. Но Робин мертв. Осколок попал ему в голову. Многие наклоняются к своим любимым шепчут им что-то так тихо что никто не слышит и падают. Бедный Пасхальный Заяц! Это была исключительно сложная задача снять его с дерева куда его забросило ударной волной и вернуть обратно в свое гнездо. По двое тянут за каждую руку еще двое подталкивают сзади и так постепенно удается уложить твердокостного Пасхального Зайца на землю. Вот смеху-то было & ликования сколько! Земля постепенно заполнялась людьми.

Один за другим как их там всех зовут и не помню они начинают бродить внизу держась за руки словно решили никогда больше не разлучаться прижимаются друг к другу в надежде вдохнуть друг в друга немного света & тепла для big sleep. Пожилой мужчина Касперль лежит на земле. Он почти обезумел от боли. У него больше нет ног. Их ему оторвало. Он подтягивается отталкивается и выползает на дистанцию. Он сам не знает что делает этот окровавленный обрубок. Борзые саночники конькобежцы лыжники проносятся мимо него. Сердобольные мужчины уносят раненого обратно. Он умирает прямо тут. Друзья никогда не портили людям игру и всегда умели вести себя с молодежью молодо. Множество заботливых рук относят тех кто еще что-то видит вниз в общую кучу. Там они и угасают целыми стаями.

Гуфи с громкими криками носится между мертвыми. Под мышками у него словно куклы зажаты мыши Микки и Минни. Безголовые куклы. Другого ребенка Летучую Мышь которому лет 6 осколки от взрыва пощадили. Но он все равно лежит на земле мертвый. Его растоптала охваченная паникой толпа. Больше и не осталось никого кто хотя бы примерно угадывает масштабы катастрофы.

Хельмут не назывался бы милым блондином если бы мог хоть в чем-нибудь отказать своему любимцу. И его тоже уже последним сбрасывают вниз. И тогда воцаряется абсолютная тишина.

Полицейские вместе с помощниками-волонтерами срывают с мачт флаги и транспаранты и покрывают ими изувеченные мертвые тела. А потом сами укладываются на покой. Нам придется распрощаться с нашими проводниками которые нас так верно и так долго сопровождали. Нет больше снега на этом свете. Град больно бьет по головам. И бескрайний желтый свет на штанах.

Хорошо что мы живем в домах и нам не нужно выходить на темную улицу.

А остальным Брайан Джонс сказал:
ПРЫГАЙТЕ ИЗ ОКНА В ЭТОМ ДОМЕ ЖУТКИЙ СКВОЗНЯК!

Литературно-художественное издание

Эльфрида Елинек

МЫ ПЕСТРЫЕ БАБОЧКИ, ДЕТКА!

Ответственный редактор *Татьяна Уварова*
Художественный редактор *Егор Саламашенко*
Технический редактор *Татьяна Харитонова*
Корректор *Вера Иванова*
Верстка *Любови Копченовой*

Подписано в печать 28.09.2007.
Формат издания 84 × 108¹/₃₂. Печать офсетная.
Усл. печ. л. 15,96. Тираж 5000 экз.
Изд. № 70359. Заказ № 649-1.

Издательство «Амфора».
Торгово-издательский дом «Амфора».
197110, Санкт-Петербург,
наб. Адмирала Лазарева, д. 20, литера А.
E-mail: info@amphora.ru

Отпечатано с фотоформ в ОАО «Лениздат».
191023, Санкт-Петербург, наб. р. Фонтанки, 59.

ЭЛЬФРИДА ЕЛИНЕК
автор романа **«пианистка»**

МИХАЭЛЬ

книга для инфантильных мальчиков и девочек

История, записанная на бумаге, выглядит гораздо непристойнее, чем то, что совершено втихаря и оставлено в тайне.

ЭЛЬФРИДА ЕЛИНЕК

АЛЧНОСТЬ

**Любовь и страсть перенесут всё,
но они не переносят друг друга…**

«Снежная королева литературы» Эльфрида Елинек —
одна из самых значительных современных писательниц.

Она — сама себе элита, сочетающая в себе грусть Роберта
Музиля и чувство юмора Франца Кафки. Метафоры боли и
одиночества в ее прозе уже более тридцати лет разбивают
всю литературную критику на мелкие осколки бешенства.
Ее путь — острая психологическая проза с элементами гро-
теска и беспощадность языка, вышедшая за рамки нацио-
нальной литературы и ставшая мировым событием.

ЭЛЬФРИДА ЕЛИНЕК

ДЕТИ МЁРТВЫХ

РОМАН

> Я присматриваю за мёртвыми,
> а всякий гладит и почёсывает
> мои милые, добрые слова, но мёртвые
> от этого более живыми не делаются...

Роман «Дети мёртвых» закрепил мировую известность, принесенную Елинек «Пианисткой» и «Алчностью». Эту книгу, в которой по современной Австрии бродят, активно вмешиваясь в жизнь, призраки мёртвых, австрийская писательница считает своей самой любимой и главной.